사고력 수학 소마가 개발한 연산학습의 새 기준!!

소마의 **마**술같은 원리**셈**

소마셈

A8
1학년

수학이 즐거워지는 특별한 수학교실
소마에서 개발한 연산교재 소마셈

소마셈

2002년 대치소마 개원 이후로 끊임없는 교재 연구와 교구의 개발은 소마의 자랑이자 자부심입니다.
교구, 게임, 토론 등의 다양한 활동식 수업으로 스스로 문제해결능력을 키우고, 아이들이 수학에 대한 흥미와 자신감을 가질 수 있도록 차별성 있는 수업을 해 온 소마에서 연산 학습의 새로운 패러다임을 제시합니다.

연산 교육의 현실

연산 교육의 가장 큰 폐해는 '초등 고학년 때 연산이 빠르지 않으면 고생한다.'는 기존 연산 학습지의 왜곡된 마케팅으로 인해 단순 반복을 통한 기계적 연산을 강조하는 것입니다. 하지만, 기계적 반복을 위주로 하는 연산은 개념과 원리가 빠진 연산 학습으로써 아이들이 수학을 싫어하게 만들 뿐 아니라 사고의 확장을 막는 학습방법입니다.

초등수학 교과과정과 연산

초등교육과정에서는 문자와 기호를 사용하지 않고 말로 풀어서 연산의 개념과 원리를 설명하다가 중등교육과정부터 문자와 기호를 사용합니다. 교과서를 살펴보면 모든 연산의 도입에 원리가 잘 설명되어 있습니다. 요즘 현실에서는 연산의 원리를 묻는 서술형 문제도 많이 출제되고 있는데 연산은 연습이 우선이라는 인식이 아직도 지배적입니다.

연산 학습은 어떻게?

연산 교육은 별도로 떼어내어 추상적인 숫자나 기호만 가지고 다뤄서는 절대로 안됩니다. 구체물을 가지고 생각하고 이해한 후, 연산 연습을 하는 것이 필요합니다. 또한, 속도보다 정확성을 위주로 학습하여 실수를 극복할 수 있는 좋은 습관을 갖추는 데에 초점을 맞춰야 합니다.

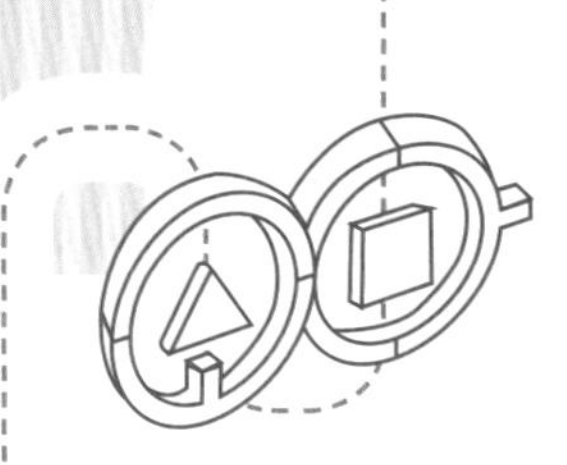

소마셈 연산학습 방법

10이 넘는 한 자리 덧셈 구체물을 통한 개념의 이해

덧셈과 뺄셈의 기본은 수를 세는 데에 있습니다. 8+4는 8에서 1씩 4번을 더 센 것이라는 개념이 중요합니다. 10의 보수를 이용한 받아 올림을 생각하면 8+4는 (8+2)+2지만 연산 공부를 시작할 때에는 덧셈의 기본 개념에 충실한 것이 좋습니다. 이 책은 구체물을 통해 개념을 이해할 수 있도록 구체적인 예를 든 연산 문제로 구성하였습니다.

가로셈 가로셈을 통한 수에 대한 사고력 기르기

세로셈이 잘못된 방법은 아니지만 연산의 원리는 잊고 받아 올림한 숫자는 어디에 적어야 하는지만을 기억하여 마치 공식처럼 풀게 합니다. 기계적으로 반복하는 연습은 생각없이 연산을 하게 만듭니다. 가로셈을 통해 원리를 생각하고 수를 쪼개고 붙이는 등의 과정에서 키워질 수 있는 수에 대한 사고력도 매우 중요합니다.

곱셈구구 곱셈도 개념 이해를 바탕으로

곱셈구구는 암기에만 초점을 맞추면 부작용이 큽니다. 곱셈은 덧셈을 압축한 것이라는 원리를 이해하며 구구단을 외움으로써 연산을 빨리 할 수 있다는 것을 알게 해야 합니다. 곱셈구구를 외우는 것도 중요하지만 곱셈의 의미를 정확하게 아는 것이 더 중요합니다. 4×3을 할 줄 아는 학생이 두 자리 곱하기 한 자리는 안 배워서 45×3을 못 한다고 말하는 일은 없도록 해야 합니다.

K단계 (5, 6, 7세) • 연산을 시작하는 단계

뛰어세기, 거꾸로 뛰어세기를 통해 수의 연속한 성질(linearity)을 이해하고 덧셈, 뺄셈을 공부합니다. 각 권의 호흡은 짧지만 일관성 있는 접근으로 자연스럽게 나선형식 반복학습의 효과가 있도록 하였습니다.

학습대상 : 연산을 시작하는 아이와 한 자리 수 덧셈을 구체물(손가락 등)을 이용하여 해결하는 아이

학습목표 : 수와 연산의 튼튼한 기초 만들기

P단계 (7세, 1학년) • 받아올림이 있는 덧셈, 뺄셈을 배울 준비를 하는 단계

5, 6, 9 뛰어세기를 공부하면서 10을 이용한 더하기, 빼기의 편리함을 알도록 한 후, 가르기와 모으기의 집중학습으로 보수 익히기, 10의 보수를 이용한 덧셈, 뺄셈의 원리를 공부합니다.

학습대상 : 받아올림이 없는 한 자리 수의 덧셈을 할 줄 아는 학생

학습목표 : 받아올림이 있는 연산의 토대 만들기

A단계 (1학년) • 초등학교 1학년 교과과정 연산

받아올림이 있는 한 자리 수의 덧셈, 뺄셈은 연산 전체에 매우 중요한 단계입니다. 원리를 정확하게 알고 A1에서 A4까지 총 4권에서 한 자리 수의 연산을 다양한 과정으로 연습하도록 하였습니다.

학습대상 : 초등학교 1학년 수학교과과정을 공부하는 학생

학습목표 : 10의 보수를 이용한 받아올림이 있는 덧셈, 뺄셈

B단계 (2학년) • 초등학교 2학년 교과과정 연산

두 자리, 세 자리 수의 연산을 다룬 후 곱셈, 나눗셈을 다루는 과정에서 곱셈구구의 암기를 확인하기보다는 곱셈구구를 외우는데 도움이 되고, 곱셈, 나눗셈의 원리를 확장하여 사고할 수 있도록 하는데 초점을 맞추었습니다.

학습대상 : 초등학교 2학년 수학교과과정을 공부하는 학생

학습목표 : 덧셈, 뺄셈의 완성 / 곱셈, 나눗셈의 원리를 정확하게 알고 개념 확장

C단계 (3학년) • 초등학교 3, 4학년 교과과정 연산

B단계까지의 소마셈은 다양한 문제를 통해서 학생들이 즐겁게 연산을 공부하고 원리를 정확하게 알게 하는데 초점을 맞추었다면, C단계는 3학년 과정의 큰 수의 연산과 4학년 과정의 혼합 계산, 괄호를 사용한 식 등, 필수 연산의 연습을 충실히 할 수 있도록 하였습니다.

학습대상 : 초등학교 3, 4학년 수학교과과정을 공부하는 학생

학습목표 : 큰 수의 곱셈과 나눗셈, 혼합 계산

D단계 (4학년) • 초등학교 4, 5학년 교과과정 연산

분모가 같은 분수의 덧셈과 뺄셈, 소수의 덧셈과 뺄셈을 공부하여 초등 4학년 과정 연산을 마무리하고 초등 5학년 연산과정에서 가장 중요한 약수와 배수, 분모가 다른 분수의 덧셈과 뺄셈을 충분히 익힐 수 있도록 하였습니다.

학습대상 : 초등학교 4, 5학년 수학교과과정을 공부하는 학생

학습목표 : 분모가 같은 분수의 덧셈과 뺄셈, 소수의 덧셈과 뺄셈, 분모가 다른 분수의 덧셈과 뺄셈

소마셈 단계별 학습내용

K단계 추천연령 : 5, 6, 7세

단계	K1	K2	K3	K4
권별 주제	10까지의 더하기와 빼기 1	20까지의 더하기와 빼기 1	10까지의 더하기와 빼기 2	20까지의 더하기와 빼기 2
단계	K5	K6	K7	K8
권별 주제	10까지의 더하기와 빼기 3	20까지의 더하기와 빼기 3	20까지의 더하기와 빼기 4	7까지의 가르기와 모으기

P단계 추천연령 : 7세, 1학년

단계	P1	P2	P3	P4
권별 주제	30까지의 더하기와 빼기 5	30까지의 더하기와 빼기 6	30까지의 더하기와 빼기 10	30까지의 더하기와 빼기 9
단계	P5	P6	P7	P8
권별 주제	9까지의 가르기와 모으기	10 가르기와 모으기	10을 이용한 더하기	10을 이용한 빼기

A단계 추천연령 : 1학년

단계	A1	A2	A3	A4
권별 주제	덧셈구구	뺄셈구구	세 수의 덧셈과 뺄셈	□가 있는 덧셈과 뺄셈
단계	A5	A6	A7	A8
권별 주제	(두 자리 수)+(한 자리 수)	(두 자리 수)−(한 자리 수)	두 자리 수의 덧셈과 뺄셈	□가 있는 두 자리 수의 덧셈과 뺄셈

B단계 추천연령 : 2학년

단계	B1	B2	B3	B4
권별 주제	(두 자리 수)+(두 자리 수)	(두 자리 수)−(두 자리 수)	세 자리 수의 덧셈과 뺄셈	덧셈과 뺄셈의 활용
단계	B5	B6	B7	B8
권별 주제	곱셈	곱셈구구	나눗셈	곱셈과 나눗셈의 활용

C단계 추천연령 : 3학년

단계	C1	C2	C3	C4
권별 주제	두 자리 수의 곱셈	두 자리 수의 곱셈과 활용	두 자리 수의 나눗셈	세 자리 수의 나눗셈과 활용
단계	C5	C6	C7	C8
권별 주제	큰 수의 곱셈	큰 수의 나눗셈	혼합 계산	혼합 계산의 활용

D단계 추천연령 : 4학년

단계	D1	D2	D3	D4
권별 주제	분모가 같은 분수의 덧셈과 뺄셈(1)	분모가 같은 분수의 덧셈과 뺄셈(2)	소수의 덧셈과 뺄셈	약수와 배수
단계	D5	D6		
권별 주제	분모가 다른 분수의 덧셈과 뺄셈(1)	분모가 다른 분수의 덧셈과 뺄셈(2)		

구성과 특징

1 수 이야기

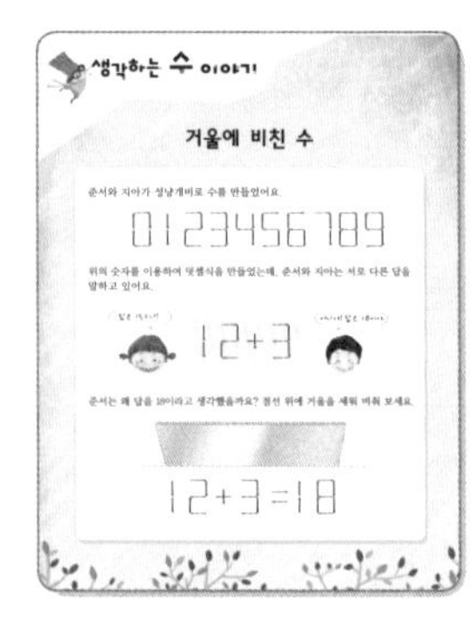
생각하는 수 이야기

거울에 비친 수

0123456789

12+3

12+3=18

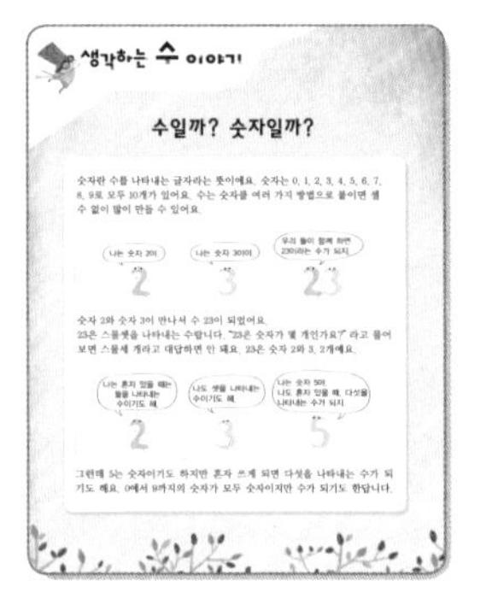
생각하는 수 이야기

수일까? 숫자일까?

생활 속의 수 이야기를 통해 수와 연산의 이해를 돕습니다. 수의 역사나 재미있는 연산 문제를 접하면서 수학이 재미있는 공부가 되도록 합니다.

2 원리 & 연습

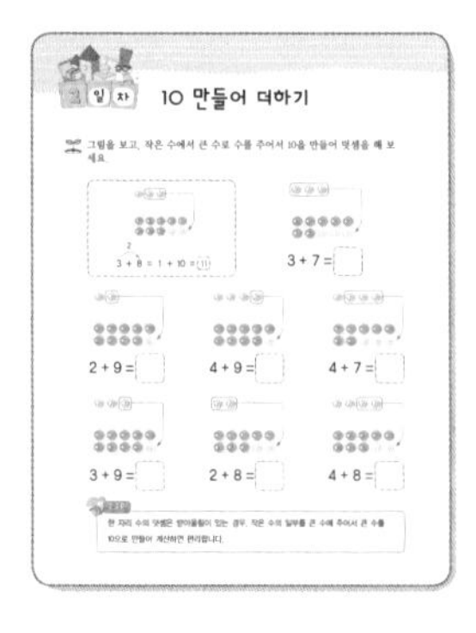
10 만들어 더하기

3+7=

2+9=　4+9=　4+7=

3+9=　2+8=　4+8=

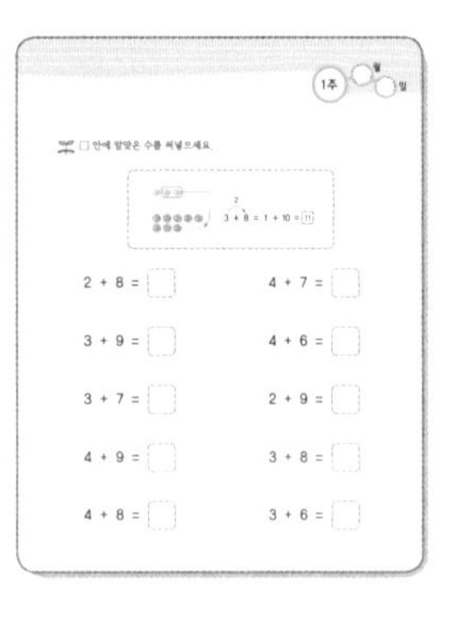
2 + 8 =　4 + 7 =

3 + 9 =　4 + 6 =

3 + 7 =　2 + 9 =

4 + 9 =　3 + 8 =

4 + 8 =　3 + 6 =

구체물 또는 그림을 통해 연산의 원리를 쉽게 이해하고, 원리의 이해를 바탕으로 연산이 익숙해지도록 연습합니다.

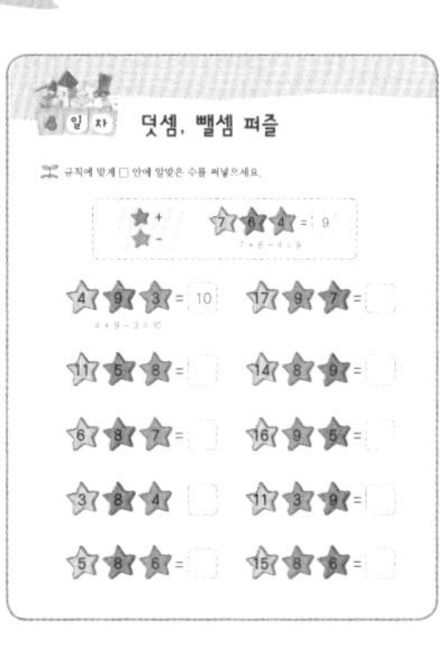

사고력 연산

반복적인 연산에서 나아가 배운 원리를 활용하여 확장된 문제를 해결합니다. 어려운 문제를 쉽기보다 다양한 생각을 할 수 있는 내용으로 구성하였습니다.

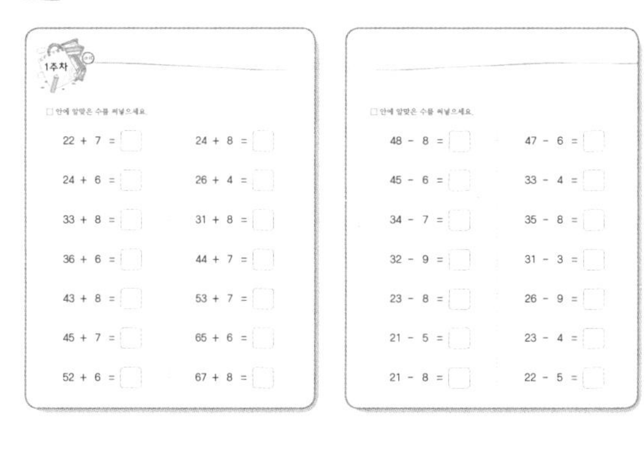

Drill (보충학습)

주차별 주제에 대한 연습이 더 필요한 경우 보충학습을 활용합니다.

연산과정의 확인이 필수적인 주제는 Drill의 양을 2배로 담았습니다.

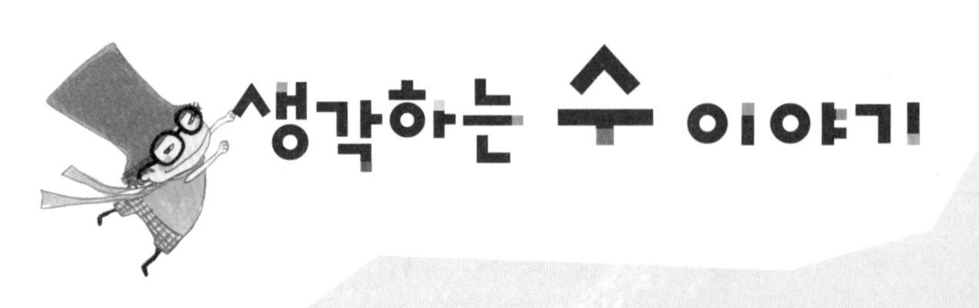

수일까? 숫자일까?

숫자란 수를 나타내는 글자라는 뜻이에요. 숫자는 0, 1, 2, 3, 4, 5, 6, 7, 8, 9로 모두 10개가 있어요. 수는 숫자를 여러 가지 방법으로 붙이면 셀 수 없이 많이 만들 수 있어요.

숫자 2와 숫자 3이 만나서 수 23이 되었어요.
23은 스물셋을 나타내는 수랍니다. "23은 숫자가 몇 개인가요?" 라고 물어보면 스물세 개라고 대답하면 안 돼요. 23은 숫자 2와 3, 2개예요.

그런데 5는 숫자이기도 하지만 혼자 쓰게 되면 다섯을 나타내는 수가 되기도 해요. 0에서 9까지의 숫자는 모두 숫자이면서 수가 되기도 한답니다.

소마셈 A8 – 1주차

어떤 수 + □

1 일차 어떤 수 + □

 그림을 보고 덧셈식을 뺄셈식으로 바꾸어 ★이 나타내는 수를 구하세요.

8 + ★ = 23

8　★　23

8 + ★ = 23

★ = 23 - 8

= 15

5 + ★ = 39

★ = □ - □

= □

7 + ★ = 33

★ = □ - □

= □

★ + 5 = 21

★ = □ - □

= □

★ + 7 = 42

★ = □ - □

= □

TIP

8+★=23일 때, 더해진 수인 ★은 23-8과 같음을 그림을 통해 이해하여, 덧셈식을 뺄셈식으로 바꾸어 해결할 수 있습니다.

 덧셈식을 뺄셈식으로 바꾸어 ★이 나타내는 수를 구하세요.

2 + ★ = 41
↓
★ = 41 - 2
= 39

7 + ★ = 40
↓
★ = □ - □
= □

★ + 5 = 33
↓
★ = □ - □
= □

9 + ★ = 26
↓
★ = □ - □
= □

8 + ★ = 58
↓
★ = □ - □
= □

★ + 3 = 23
↓
★ = □ - □
= □

덧셈식을 뺄셈식으로 바꾸어 ★이 나타내는 수를 구하세요.

★ + 8 = 21
↓
★ = [21] - [8]
= [13]

6 + ★ = 32
↓
★ = [ ] - [ ]
= [ ]

4 + ★ = 67
↓
★ = [ ] - [ ]
= [ ]

★ + 9 = 42
↓
★ = [ ] - [ ]
= [ ]

★ + 7 = 55
↓
★ = [ ] - [ ]
= [ ]

3 + ★ = 38
↓
★ = [ ] - [ ]
= [ ]

수직선과 수 상자

 수직선을 보고, □ 안에 알맞은 수를 써넣으세요.

+8, + 47
0, 55

$8 + \boxed{47} = 55$

+6, + □
0, 44

$6 + \square = 44$

+ □, +7
0, 25

$\square + 7 = 25$

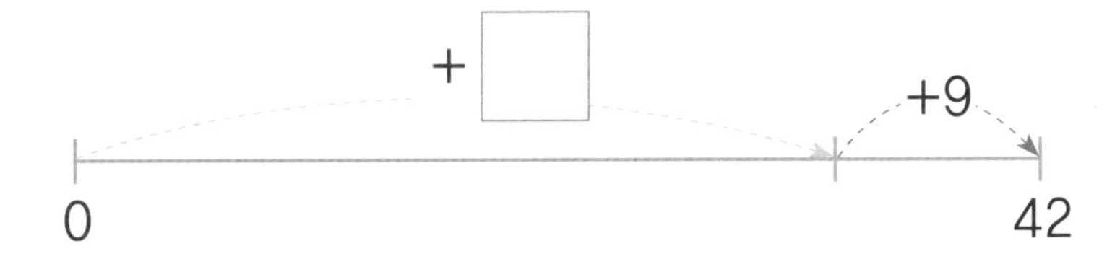

$\square + 9 = 42$

+6, + □
0, 53

$6 + \square = 53$

수직선을 보고, □ 안에 알맞은 수를 써넣으세요.

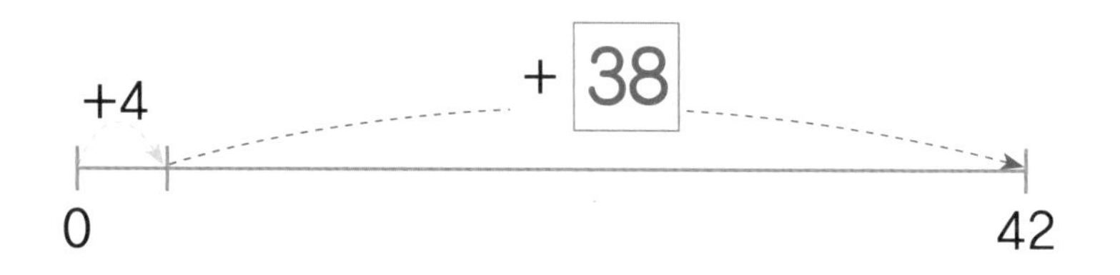

$4 + \boxed{38} = 42$

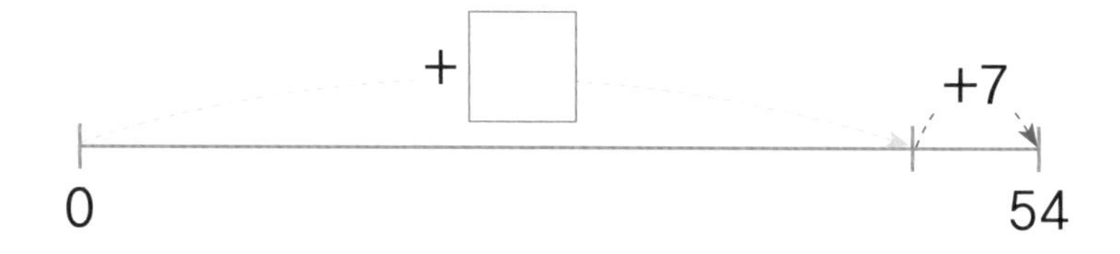

$\square + 7 = 54$

+9 + □

0 58

$9 + \square = 58$

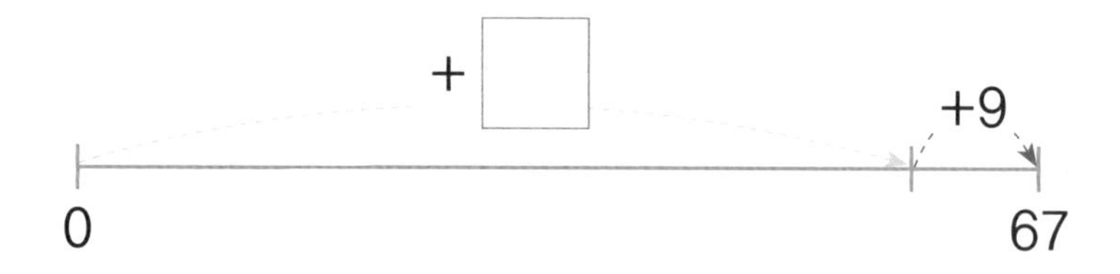

$\square + 9 = 67$

+5 + □

0 73

$5 + \square = 73$

빈칸에 알맞은 수를 써넣으세요.

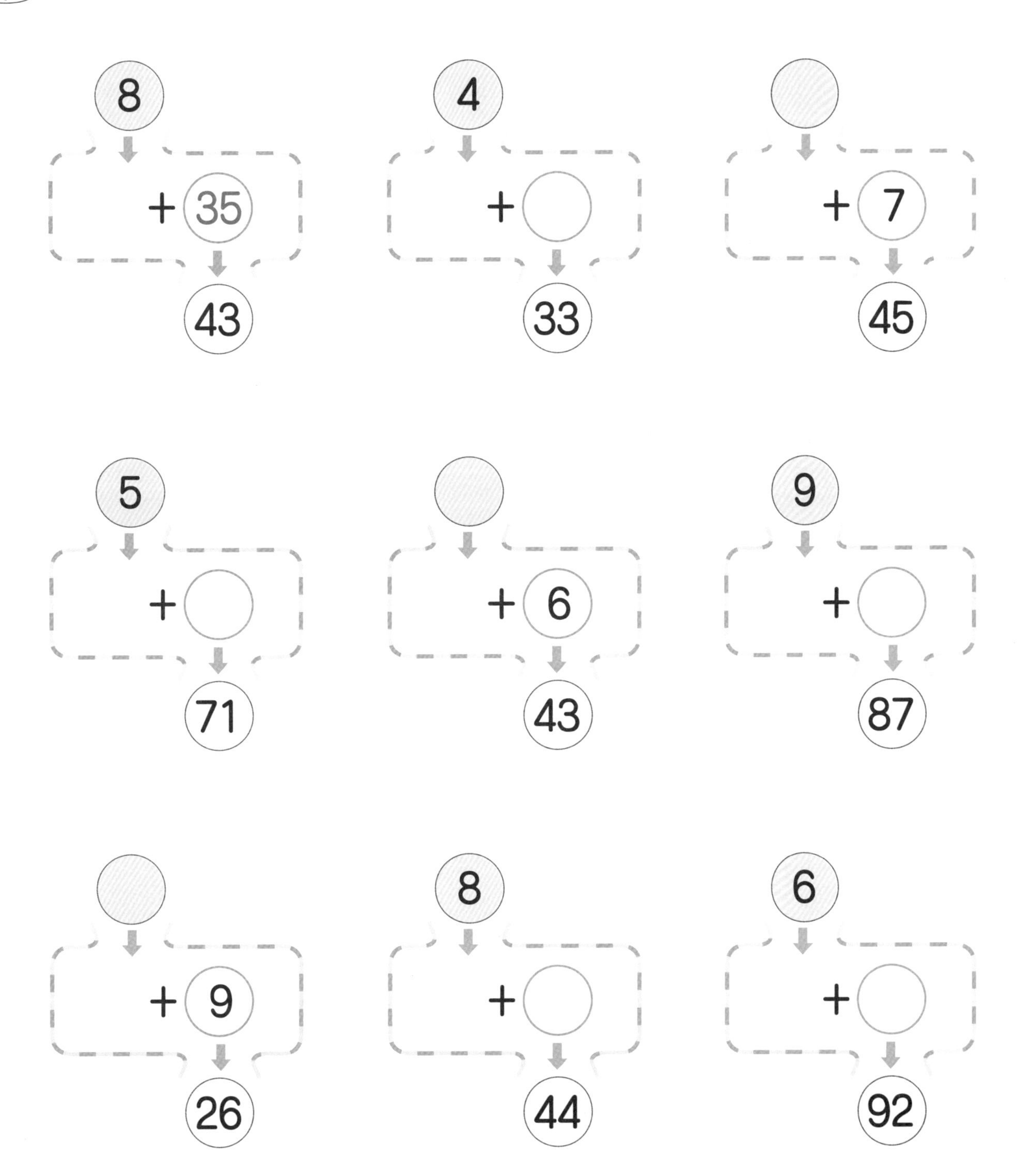

저울산 (1)

양팔저울의 균형이 맞도록 빈 곳에 알맞은 수를 써넣으세요.

양팔저울의 균형이 맞도록 빈 곳에 알맞은 수를 써넣으세요.

저울산 (2)

양팔저울의 균형이 맞도록 빈 곳에 알맞은 수를 써넣으세요.

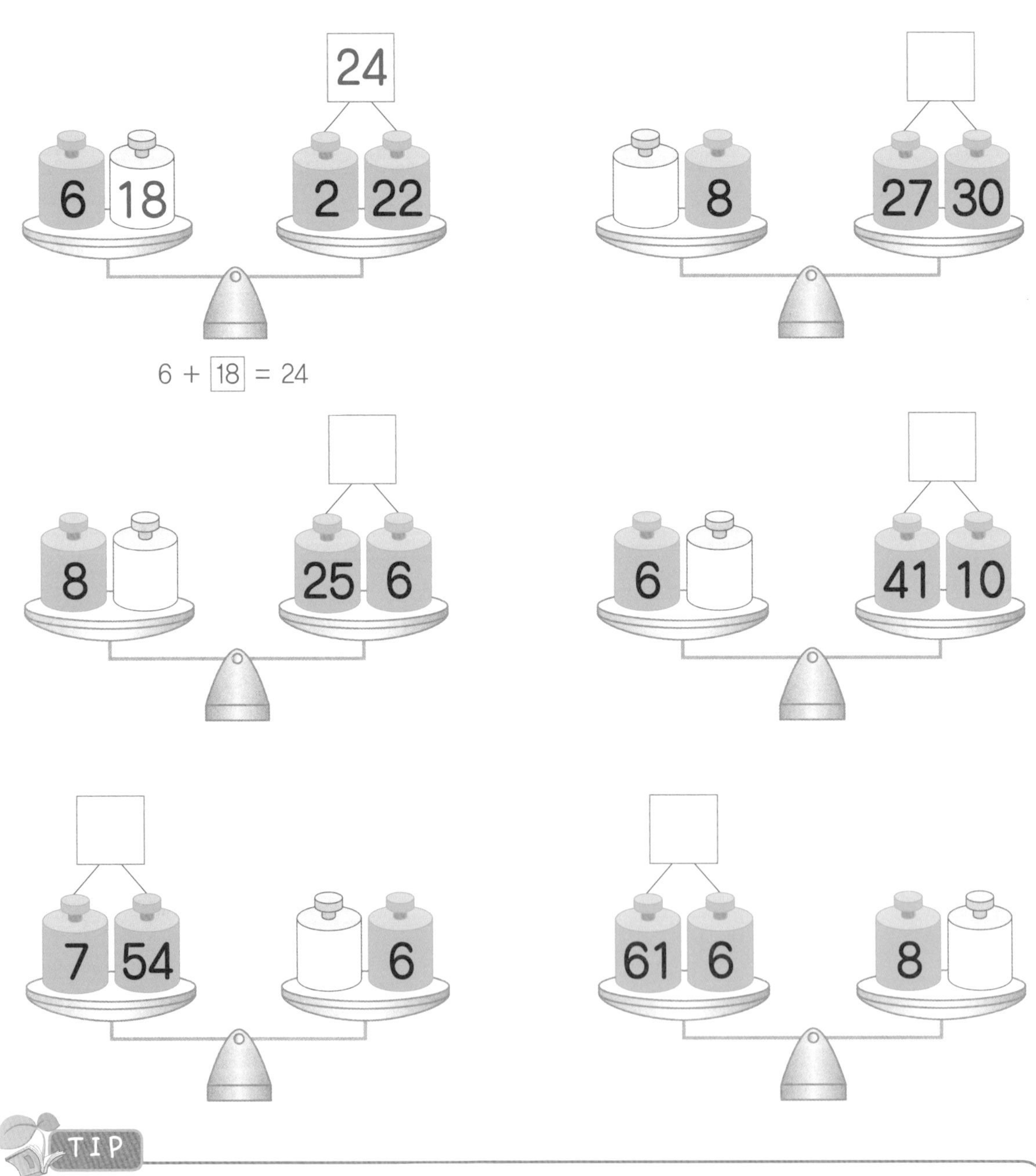

TIP

무게를 알고 있는 같은 접시 위의 두 개의 추의 무게를 먼저 더합니다.

양팔저울의 균형이 맞도록 빈 곳에 알맞은 수를 써넣으세요.

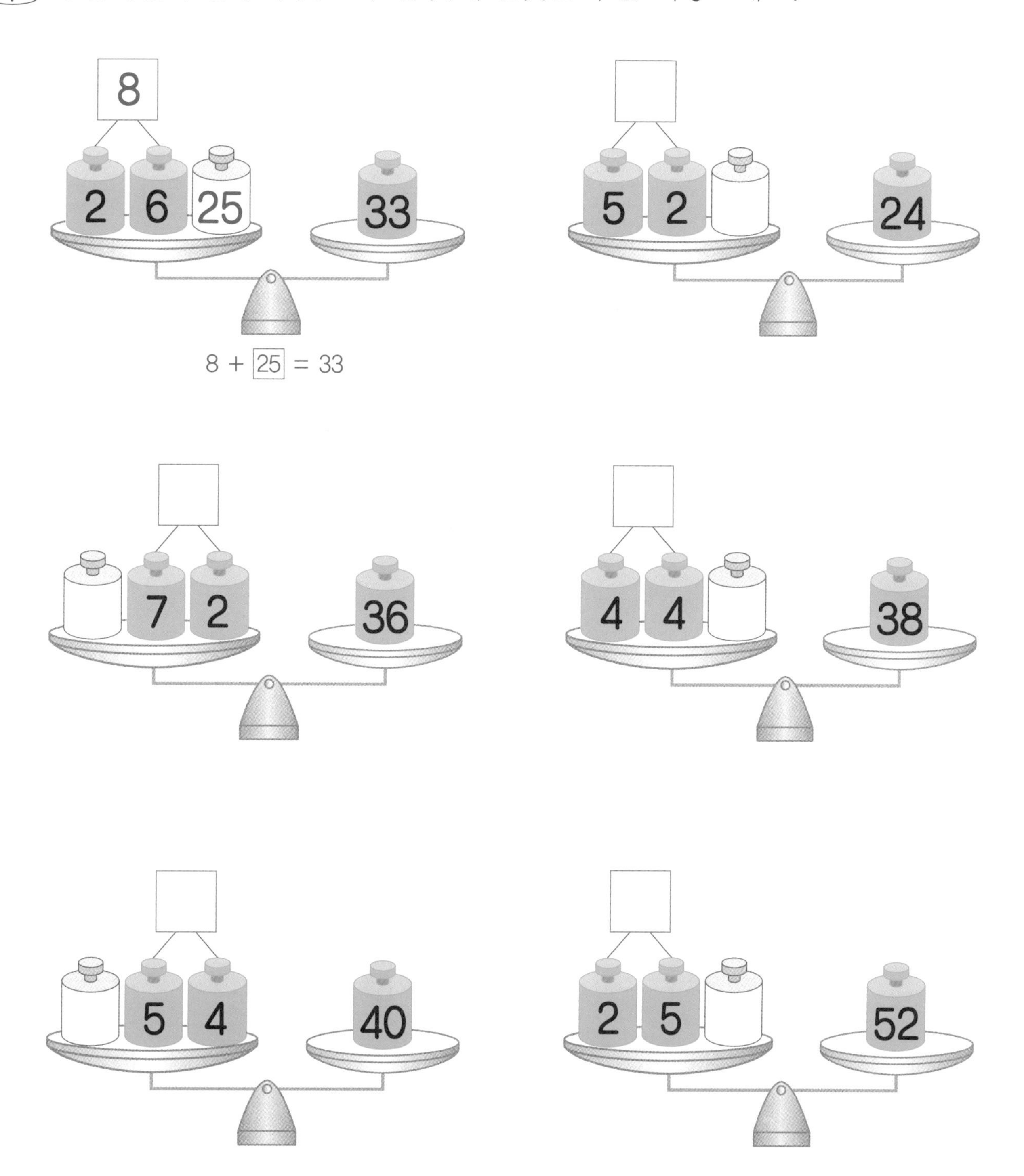

□가 있는 식 만들기

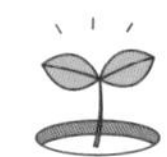

이야기를 읽고 □를 사용하여 식을 만들고, □를 구하세요.

호연이는 주말에 줄넘기를 연습하기로 했습니다. 호연이의 목표는 줄넘기를 두 번 시도해서 넘은 횟수의 합이 55가 되는 것입니다.
먼저 첫 번째 시도에서 줄넘기를 9번 넘었습니다.
호연이가 목표를 달성하려면, 두 번째 시도에서 줄넘기를 몇 번 넘으면 될까요?

식 : 9 + □ = 55

 번

\+ ? =

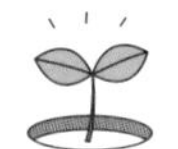 다음을 읽고 □를 사용하여 식을 만들고, □를 구하세요.

과수원에 사과나무 8그루가 있었는데 몇 그루를 더 심어서 모두 25그루가 되었습니다. 과수원에 새로 심은 사과나무는 몇 그루일까요?

식 :

 그루

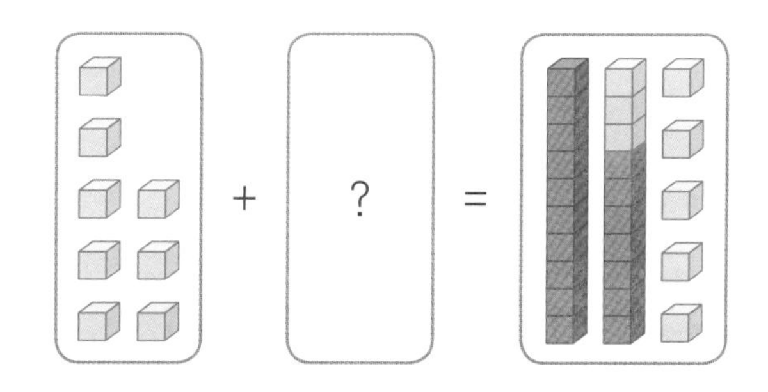

주희와 동생이 훌라후프를 돌리고 있습니다. 주희가 먼저 몇 번을 돌리고 나서 동생이 7번을 돌렸습니다. 둘이서 모두 32번을 돌렸다면 주희는 훌라후프를 몇 번 돌렸을까요?

식 :

 번

? + =

 다음을 읽고 □를 사용하여 식을 만들고, □를 구하세요.

공원에 세발자전거를 타는 아이들이 7명 있습니다. 두발자전거와 세발자전거를 모두 세어보니 23대가 있었다면 두발자전거를 타는 아이들은 몇 명일까요?

식 : 　　　　　　　　　　□ 명

학교 운동장에 나무가 8그루 있습니다. 식목일에 나무 몇 그루를 더 심었더니 모두 27그루가 되었습니다. 식목일에 심은 나무는 몇 그루일까요?

식 : 　　　　　　　　　　□ 그루

정아는 동전이 6개 들어있는 저금통에 한 달 동안 저금을 했습니다. 동전을 세어보니 모두 54개가 되었다면 정아가 한 달 동안 저금한 동전은 몇 개일까요?

식 : 　　　　　　　　　　□ 개

다음을 읽고 □를 사용하여 식을 만들고, □를 구하세요.

호진이는 6살입니다. 호진이와 아빠의 나이를 더하여 34살이라면 호진이의 아빠는 몇 살일까요?

식 :

□ 살

꽃밭에 장미꽃이 꽃을 피웠습니다. 대부분이 빨간색인데 그 중 7송이가 노란색입니다. 꽃밭에 핀 장미꽃이 모두 22송이라면, 빨간 장미꽃은 몇 송이일까요?

식 :

□ 송이

주희와 엄마가 만두를 만들고 있습니다. 주희가 만두 6개를 만들고 세어보니 모두 24개입니다. 주희가 만두를 6개 만드는 동안 엄마가 만든 만두는 몇 개일까요?

식 :

□ 개

Note

소마셈 A8 – 2주차

어떤 수 – □

어떤 수 - □

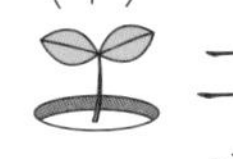

그림을 보고 뺄셈식을 다른 뺄셈식으로 바꾸어 ★이 나타내는 수를 구하세요.

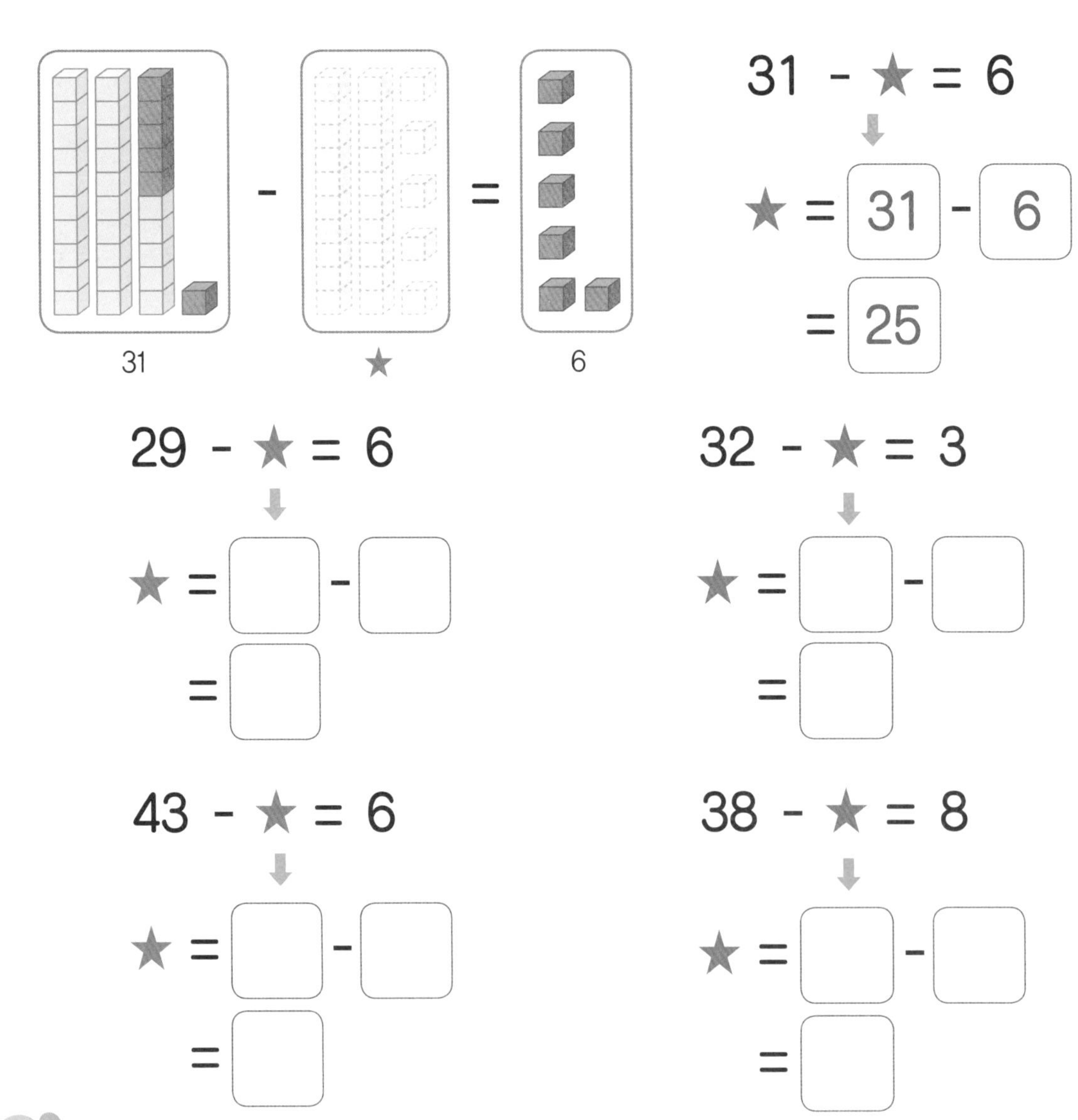

TIP

31-★=6일 때, ★은 31-6과 같음을 그림을 통해 이해하여, 뺄셈식을 다른 뺄셈식으로 바꾸어 해결할 수 있습니다.

뺄셈식을 다른 뺄셈식으로 바꾸어 ★이 나타내는 수를 구하세요.

33 - ★ = 8

★ = 33 - 8

= 25

34 - ★ = 8

★ = □ - □

= □

42 - ★ = 4

★ = □ - □

= □

30 - ★ = 3

★ = □ - □

= □

66 - ★ = 7

★ = □ - □

= □

52 - ★ = 7

★ = □ - □

= □

빨셈식을 다른 뺄셈식으로 바꾸어 ★이 나타내는 수를 구하세요.

71 - ★ = 8

★ = 71 - 8

= 63

25 - ★ = 8

★ = ☐ - ☐

= ☐

63 - ★ = 5

★ = ☐ - ☐

= ☐

43 - ★ = 4

★ = ☐ - ☐

= ☐

55 - ★ = 9

★ = ☐ - ☐

= ☐

72 - ★ = 6

★ = ☐ - ☐

= ☐

수직선과 수 상자

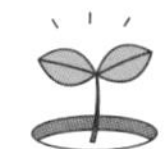 수직선을 보고, □ 안에 알맞은 수를 써넣으세요.

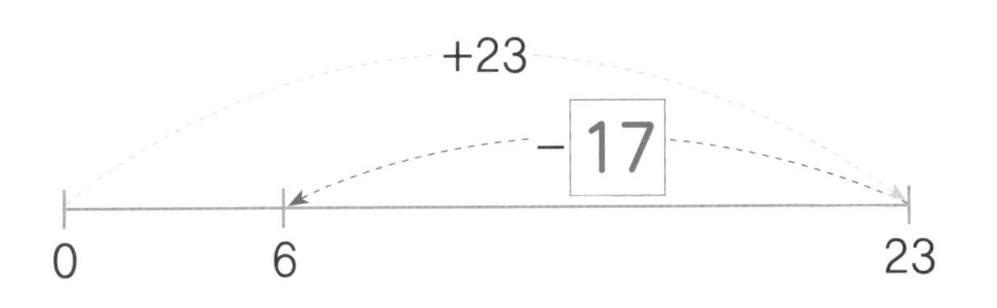

23 - [17] = 6

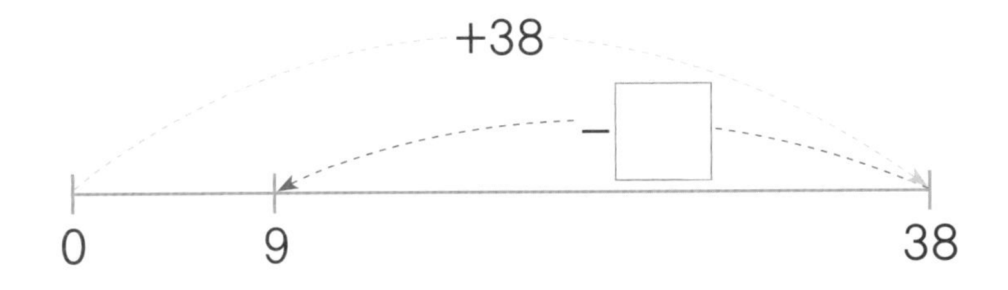

38 - □ = 9

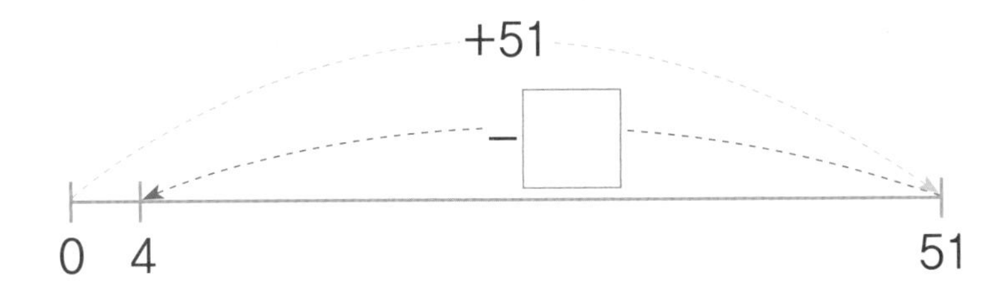

51 - □ = 4

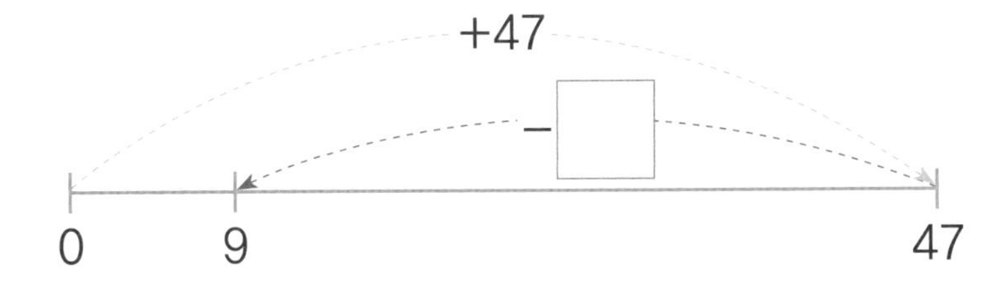

47 - □ = 9

+55

−□

0 8 55

55 - □ = 8

수직선을 보고, □ 안에 알맞은 수를 써넣으세요.

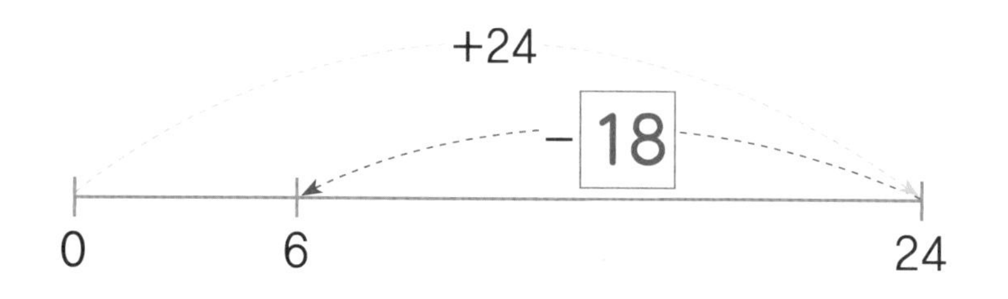

24 - [18] = 6

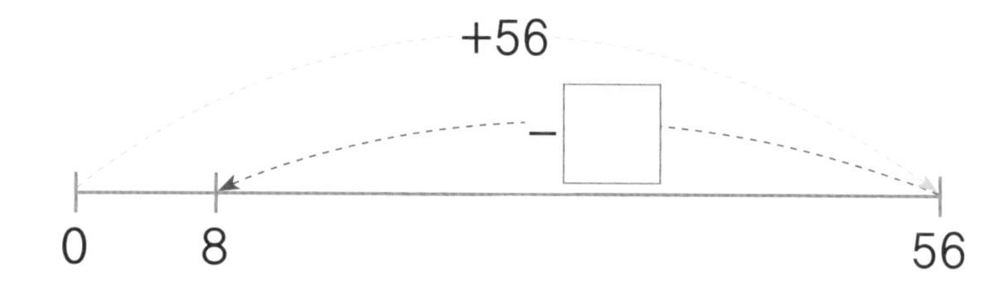

56 - □ = 8

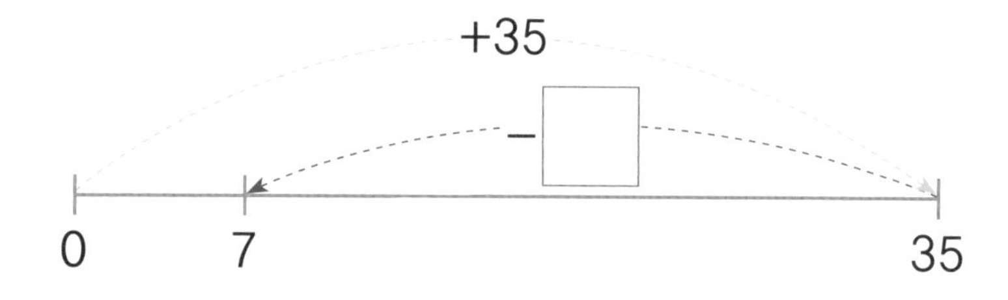

35 - □ = 7

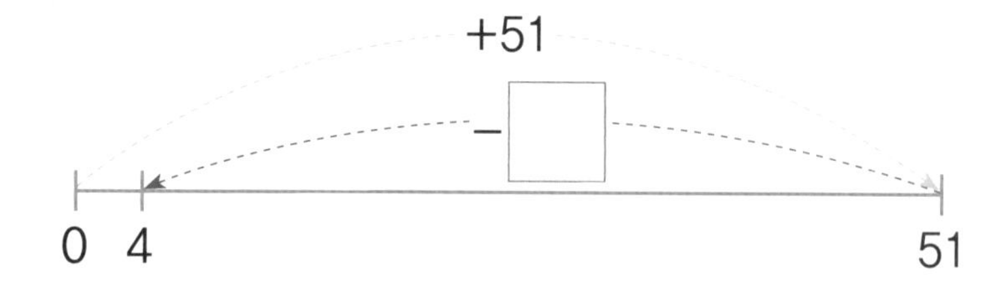

51 - □ = 4

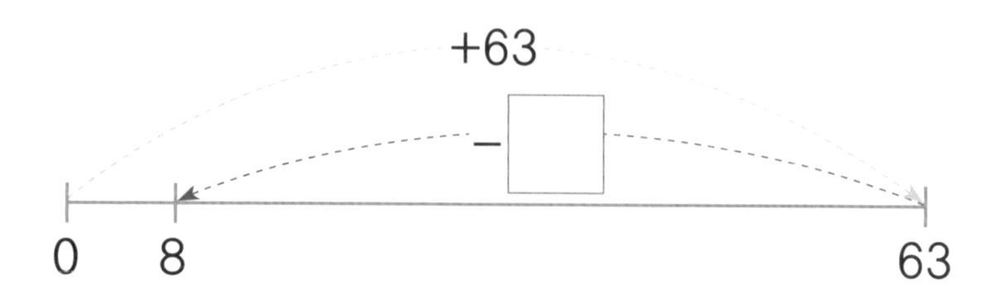

63 - □ = 8

빈칸에 알맞은 수를 써넣으세요.

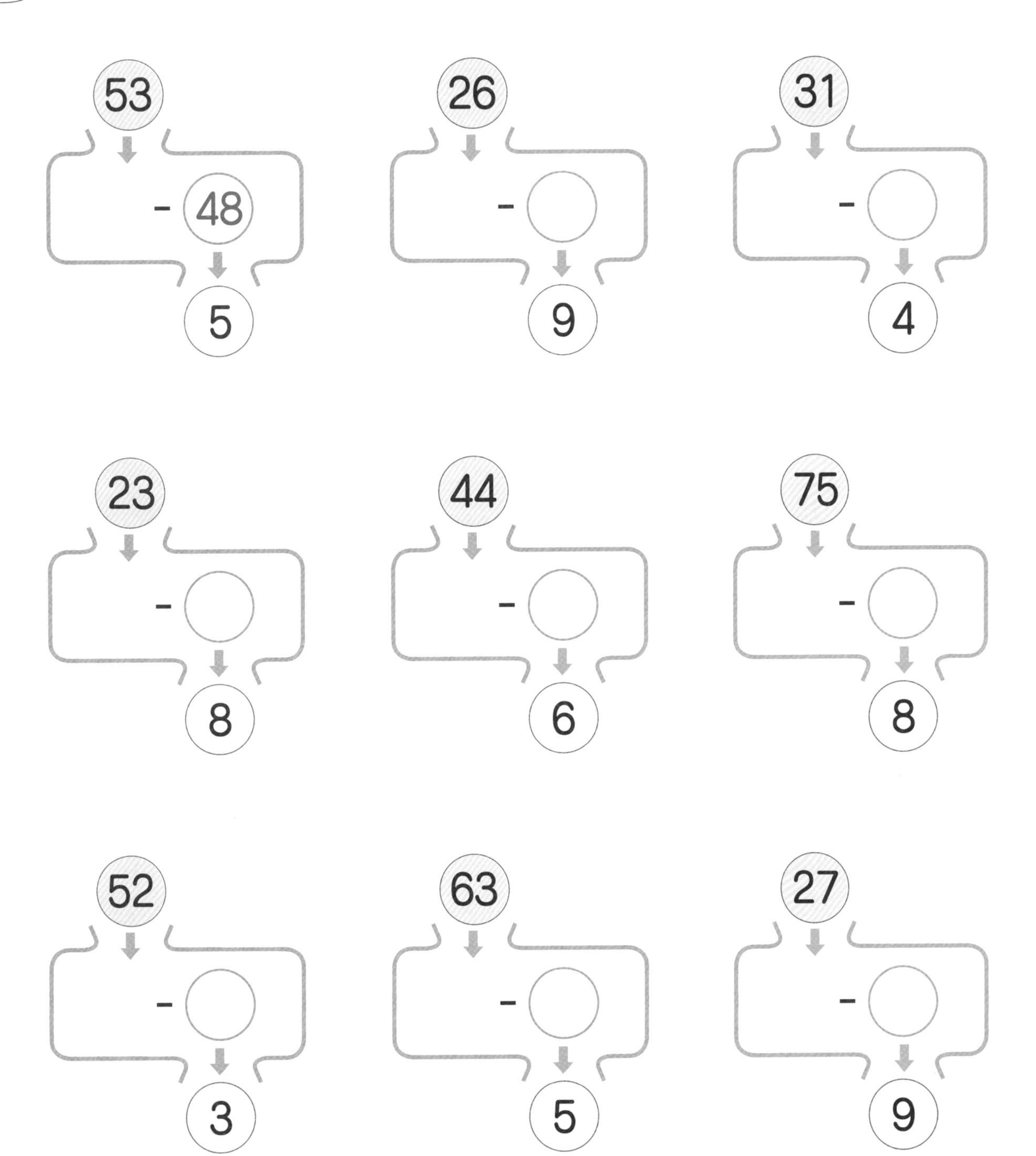

뺄셈 퍼즐

규칙에 맞게 빈칸에 알맞은 수를 써넣으세요.

52 − 48 = 4　　52 − 45 = 7

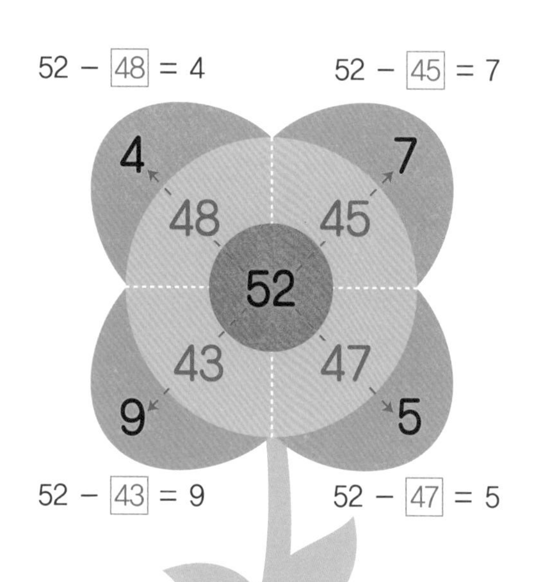

52 − 43 = 9　　52 − 47 = 5

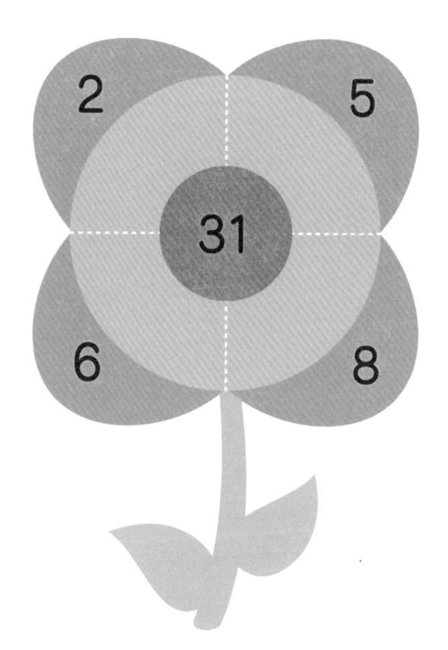

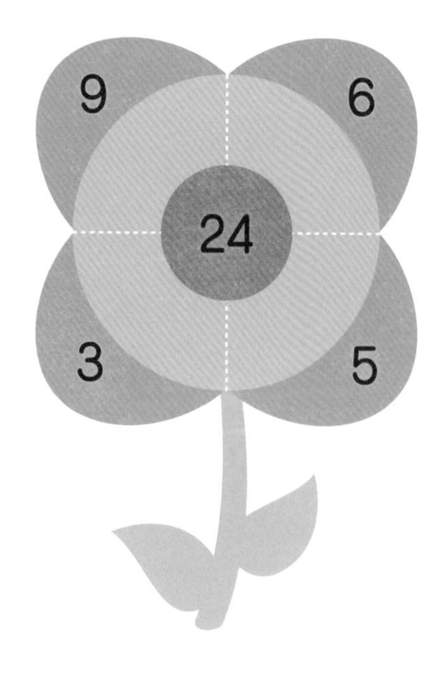

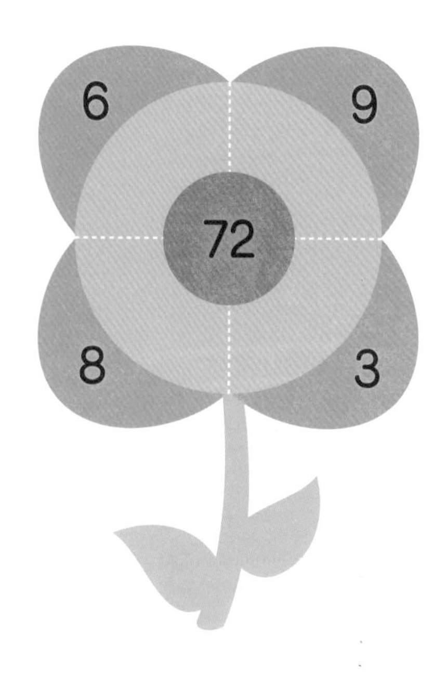

도형이 나타내는 알맞은 수를 찾아 길을 그려 보세요.

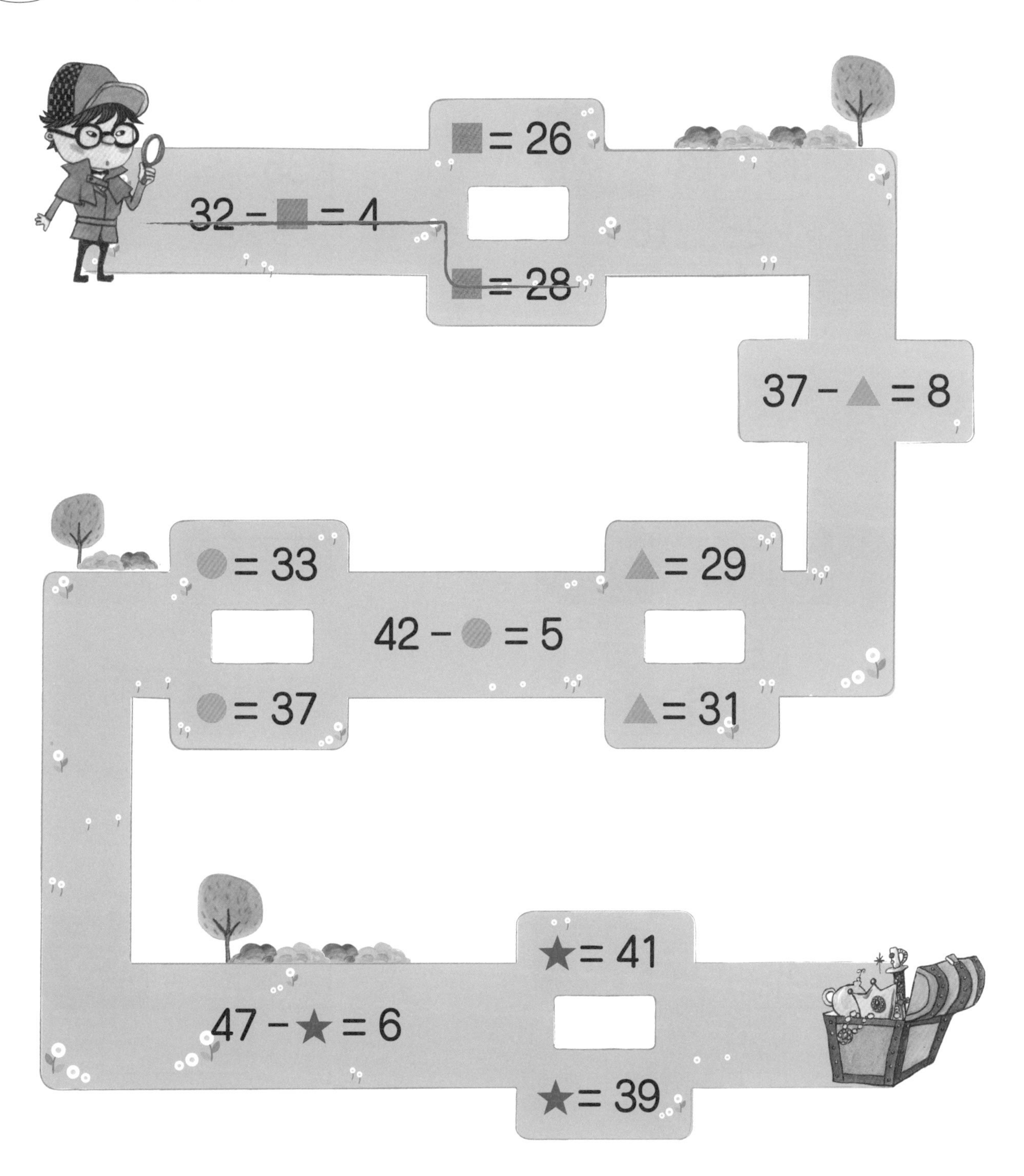

빼셈 블럭

위의 두 수를 뺀 수가 바로 아래의 수가 되도록 빈칸에 알맞은 수를 써넣으세요.

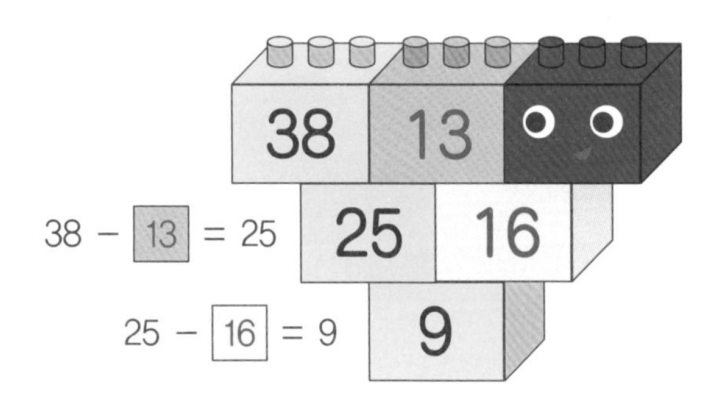

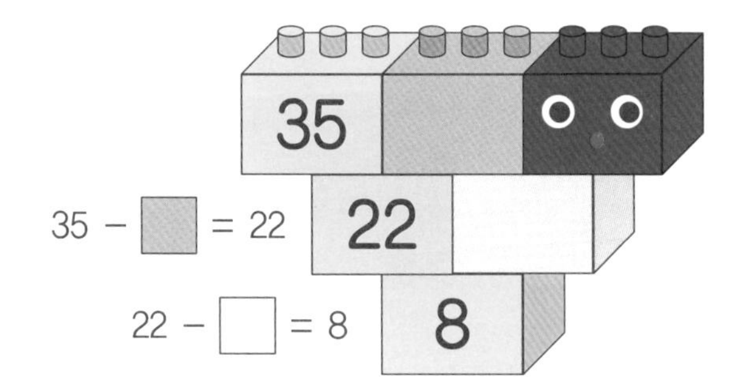

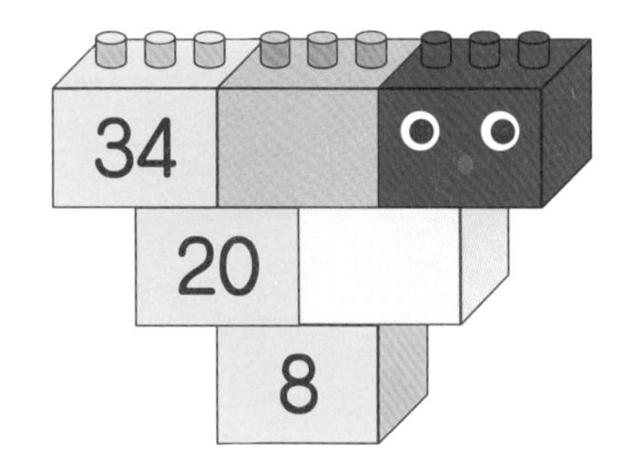

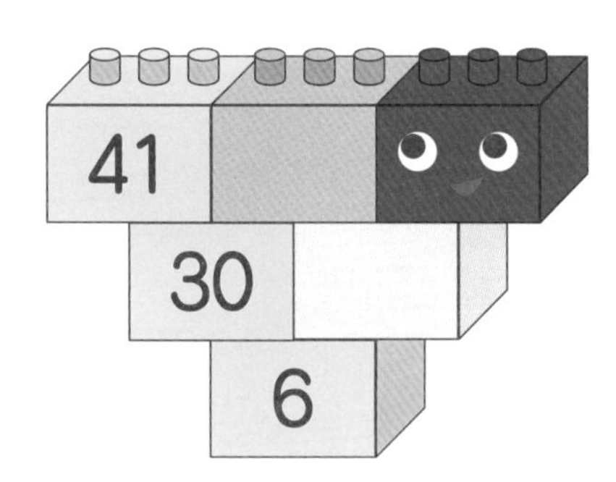

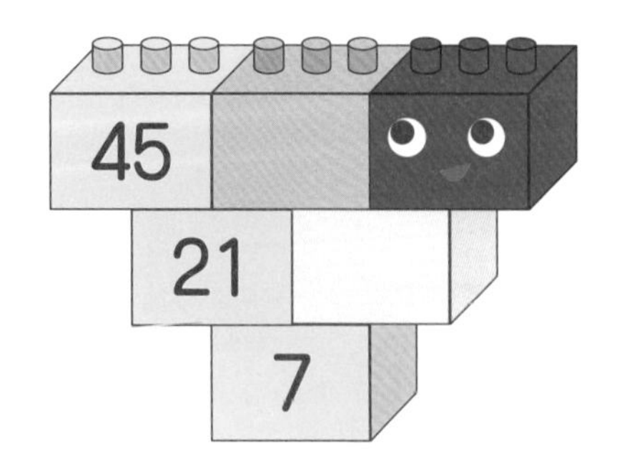

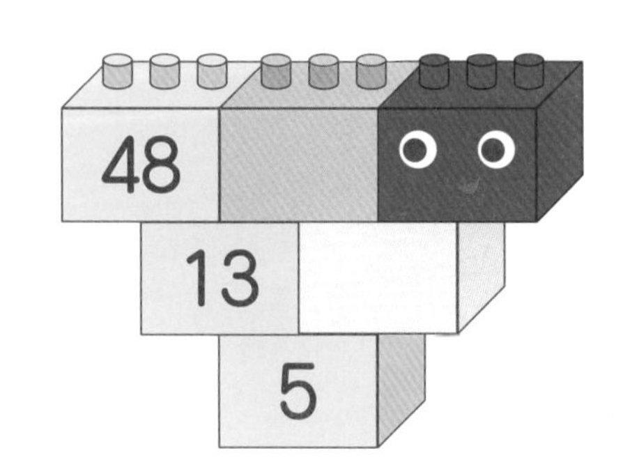

위의 두 수를 뺀 수가 바로 아래의 수가 되도록 빈칸에 알맞은 수를 써넣으세요.

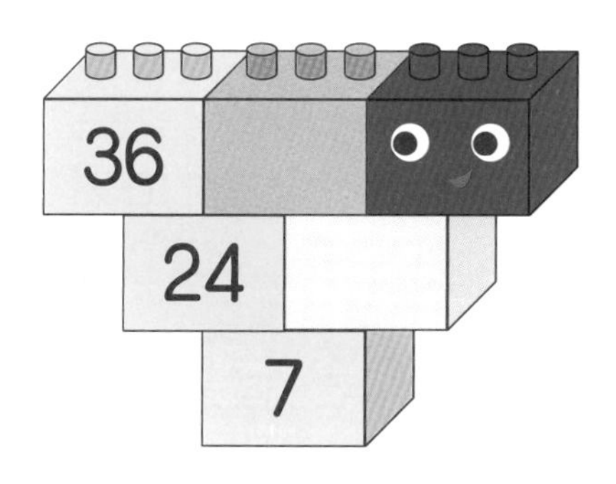

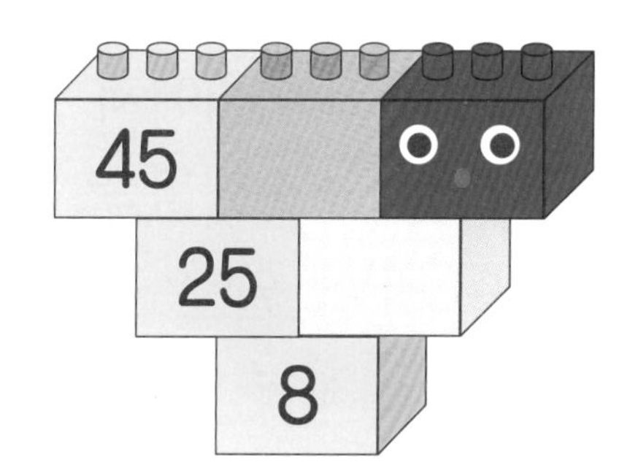

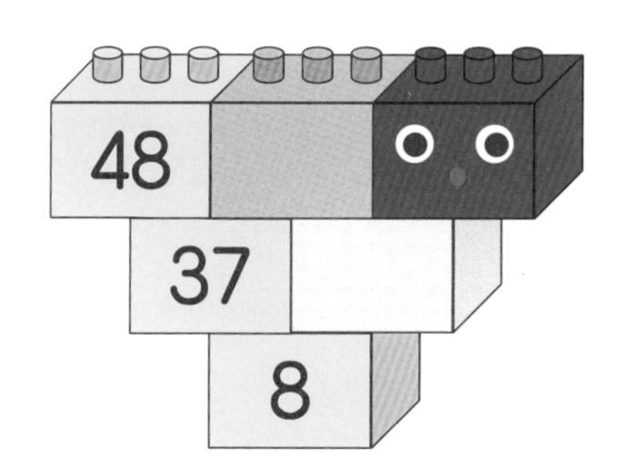

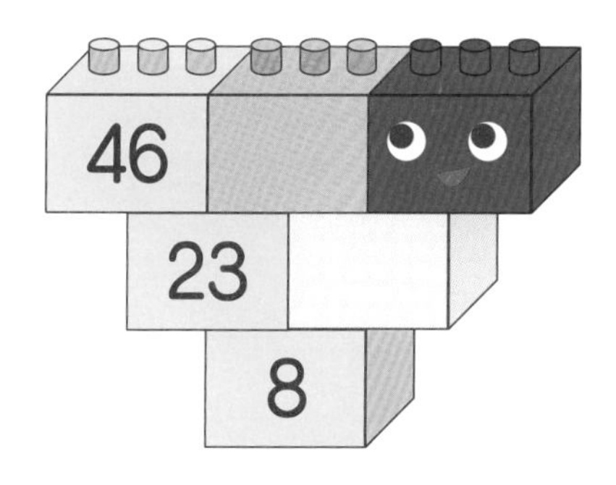

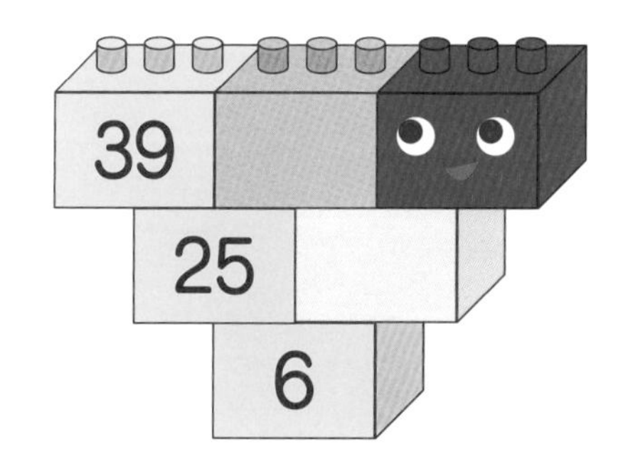

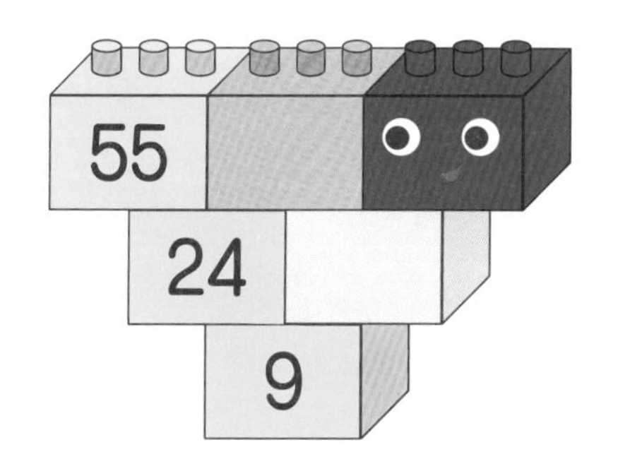

□가 있는 식 만들기

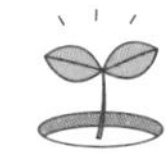

이야기를 읽고 □를 사용하여 식을 만들고, □를 구하세요.

지우네 과수원에서 귤을 수확하고 있습니다.
지우는 부모님을 돕기 위해서 귤을 따고 있는데 귤을 따기 전에 나무에 달린 귤을 세어보니 25개입니다.
지우는 30분 동안 열심히 귤을 따고 나무에 남은 귤을 세어보니 7개였습니다.
지우가 30분 동안 딴 귤은 몇 개일까요?

식 : 25 − □ = 7　　　　　　□ 개

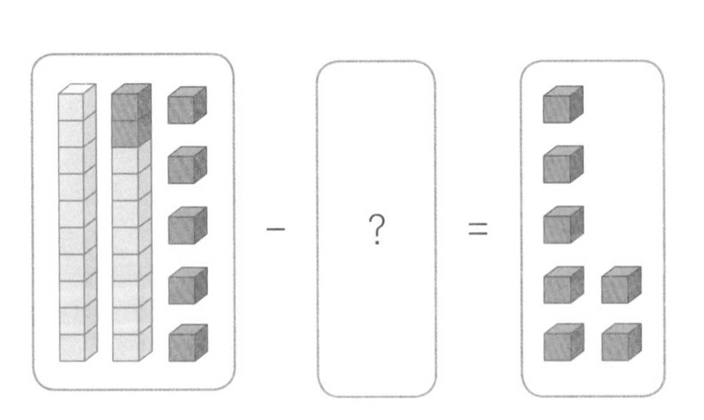

 다음을 읽고 □를 사용하여 식을 만들고, □를 구하세요.

정한이가 땅콩을 먹고 있습니다. 접시에 31개의 땅콩을 담아서 먹다가 남은 땅콩을 세어보니 8개였습니다. 정한이가 먹은 땅콩은 몇 개일까요?

식 :

 개

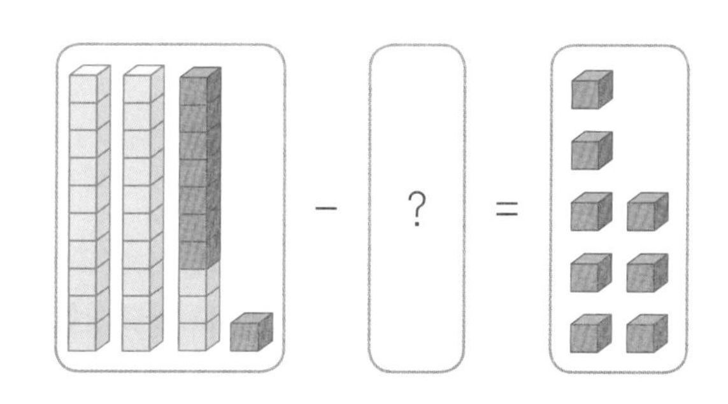

유정이가 초콜릿 42개를 사서 친구들과 나누어 먹었더니 5개가 남았습니다. 유정이가 친구들과 나누어 먹은 초콜릿은 몇 개일까요?

식 :

 개

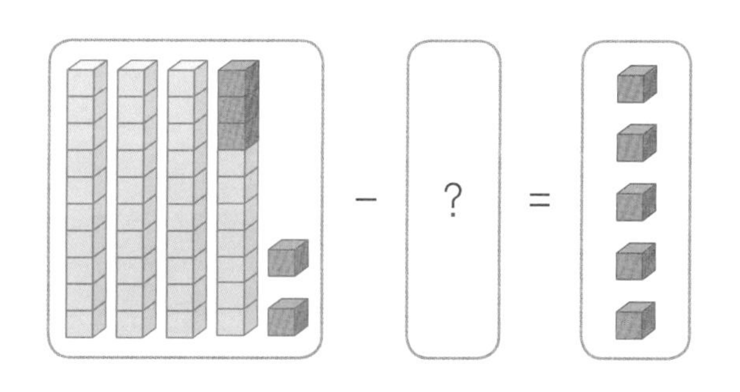

 다음을 읽고 □를 사용하여 식을 만들고, □를 구하세요.

정수는 오늘 수학 문제를 모두 40개 풀기로 했습니다. 오전에 몇 개를 풀고 오후에 7개를 풀었더니 문제를 모두 해결했습니다. 정수가 오전에 푼 수학 문제는 몇 개일까요?

식 : □ 개

훈이네 가족이 밤을 삶아서 먹고 있습니다. 44개의 밤을 삶았는데 한참이 지난 후 보니 밤이 9개만 남았습니다. 훈이네 가족이 먹은 밤은 모두 몇 개일까요?

식 : □ 개

지연이는 오빠와 도미노 놀이를 하고 있습니다. 도미노 63개를 세워 놓고 도미노를 넘어뜨렸는데 마지막에 7개의 도미노가 남고 말았습니다. 넘어진 도미노는 몇 개일까요?

식 : □ 개

 다음을 읽고 □를 사용하여 식을 만들고, □를 구하세요.

민지는 장식용 리본 34개를 가지고 있습니다. 친구들의 선물을 포장하는 데 몇 개를 사용하고 나니 리본 9개가 남았습니다. 민지가 포장에 사용한 리본은 몇 개일까요?

식 : 　　　　　　　　　　　　　　　　　　　　개

창수가 로봇을 조립하는 데 나사가 모두 41개 필요합니다. 완성을 앞두고 나사를 세어 보니 5개 남아있다면 지금까지 로봇을 조립하는 데 사용한 나사는 몇 개일까요?

식 : 　　　　　　　　　　　　　　　　　　　　개

소정이와 아빠가 낚시를 가서 물고기 25마리를 잡았습니다. 몇 마리는 너무 작아서 놓아주고 7마리만 집으로 가져왔습니다. 소정이가 놓아준 물고기는 몇 마리일까요?

식 : 　　　　　　　　　　　　　　　　　　　　마리

Note

소마셈 A8 - 3주차

□ - 어떤 수

□ - 어떤 수

 그림을 보고 뺄셈식을 덧셈식으로 바꾸어 ★이 나타내는 수를 구하세요.

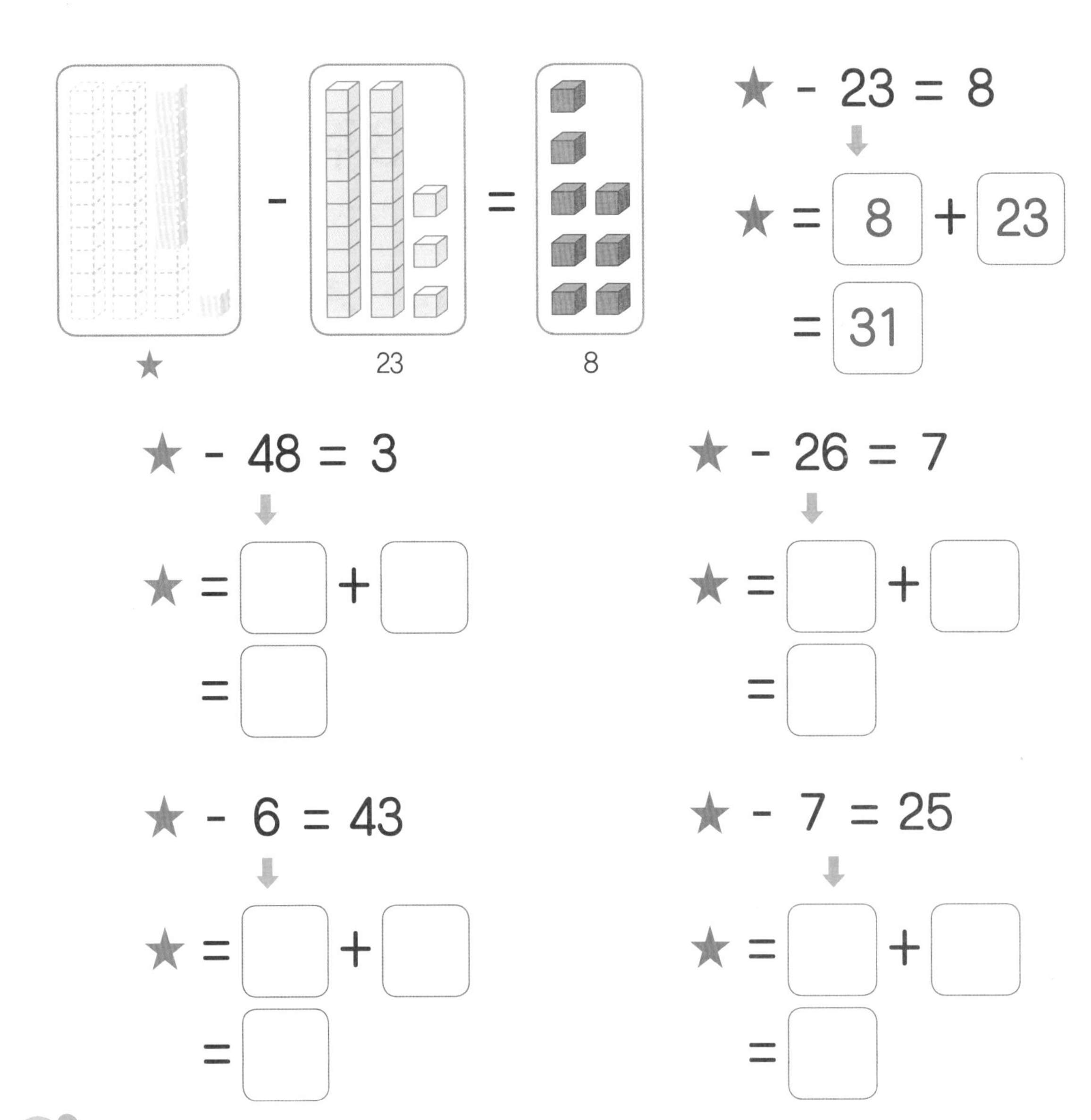

TIP

★−23=8일 때, ★은 8보다 23 큰 수와 같음을 그림을 통해 이해하여, 뺄셈식을 덧셈식으로 바꾸어 해결할 수 있습니다.

빨셈식을 덧셈식으로 바꾸어 ★이 나타내는 수를 구하세요.

★ - 5 = 47

★ = 47 + 5

= 52

★ - 29 = 7

★ = ☐ + ☐

= ☐

★ - 6 = 35

★ = ☐ + ☐

= ☐

★ - 3 = 58

★ = ☐ + ☐

= ☐

★ - 39 = 8

★ = ☐ + ☐

= ☐

★ - 42 = 8

★ = ☐ + ☐

= ☐

빨셈식을 덧셈식으로 바꾸어 ★이 나타내는 수를 구하세요.

★ - 6 = 25

★ = 25 + 6

= 31

★ - 4 = 36

★ = ☐ + ☐

= ☐

★ - 44 = 8

★ = ☐ + ☐

= ☐

★ - 57 = 5

★ = ☐ + ☐

= ☐

★ - 65 = 6

★ = ☐ + ☐

= ☐

★ - 52 = 8

★ = ☐ + ☐

= ☐

수직선과 수 상자

 수직선을 보고, □안에 알맞은 수를 써넣으세요.

52 - 7 = 45

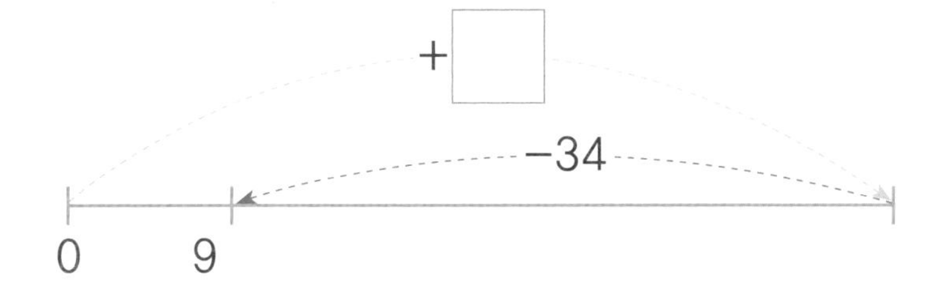

□ - 34 = 9

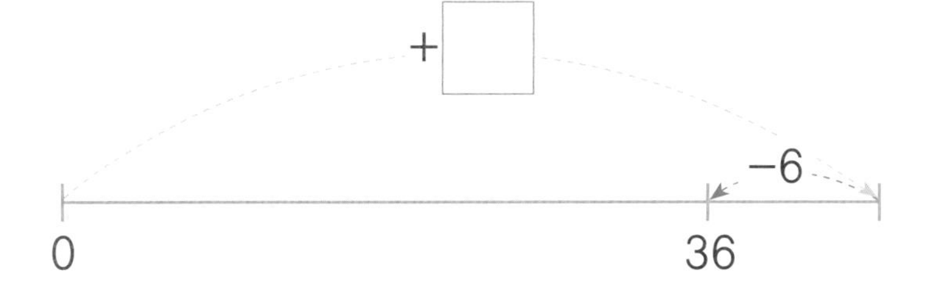

□ - 6 = 36

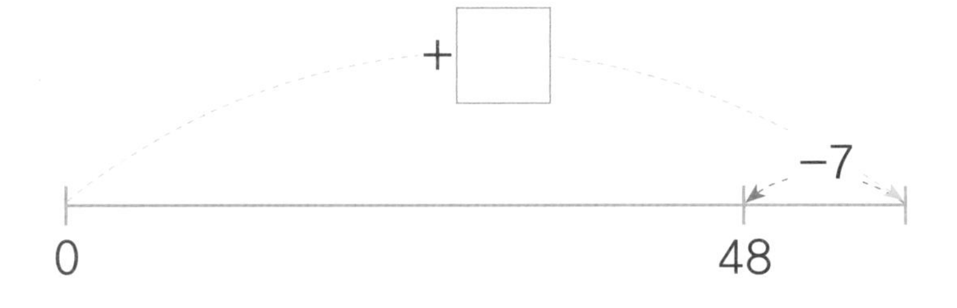

□ - 7 = 48

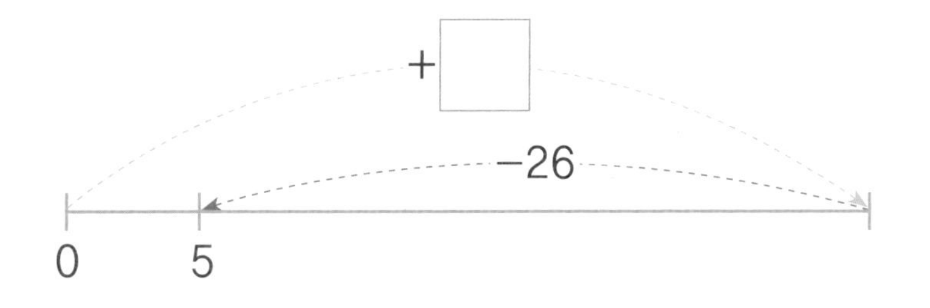

□ - 26 = 5

수직선을 보고, □안에 알맞은 수를 써넣으세요.

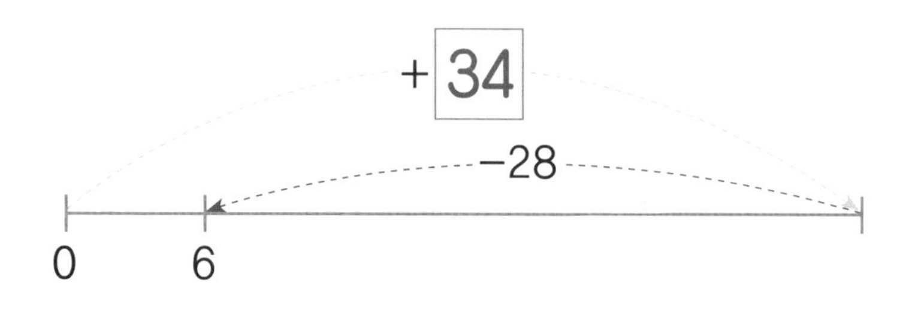

[34] - 28 = 6

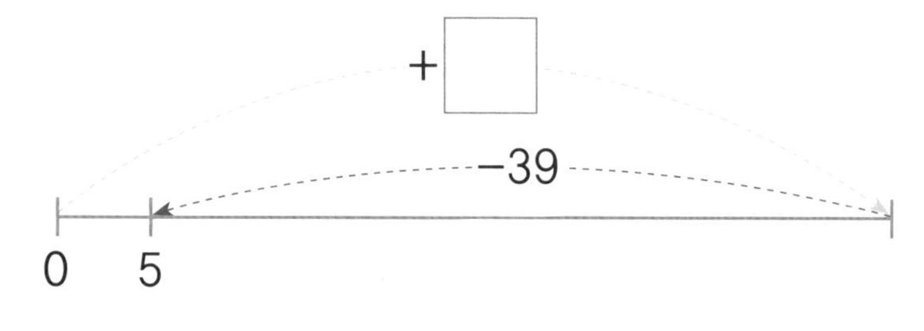

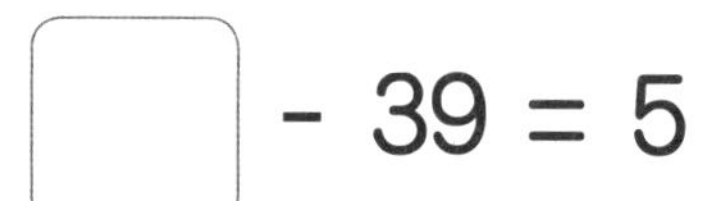

□ - 39 = 5

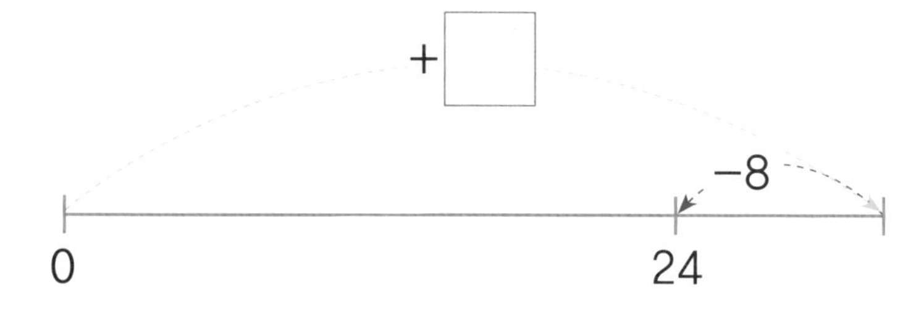

□ - 8 = 24

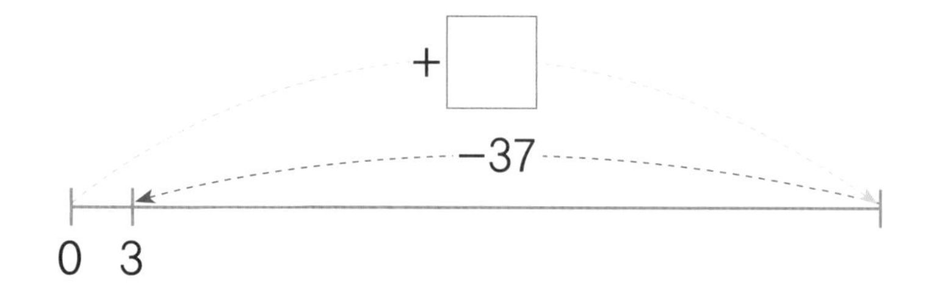

□ - 37 = 3

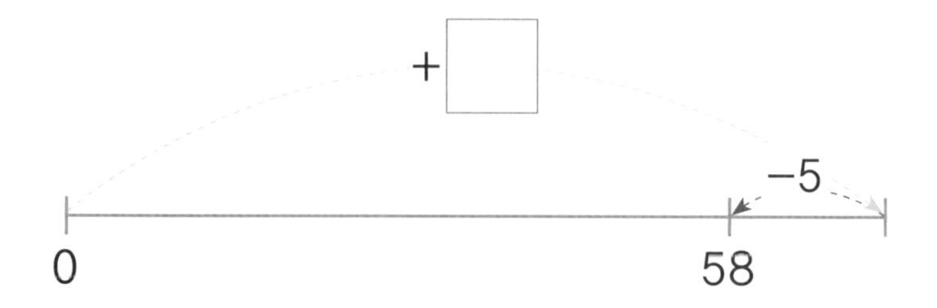

□ - 5 = 58

빈칸에 알맞은 수를 써넣으세요.

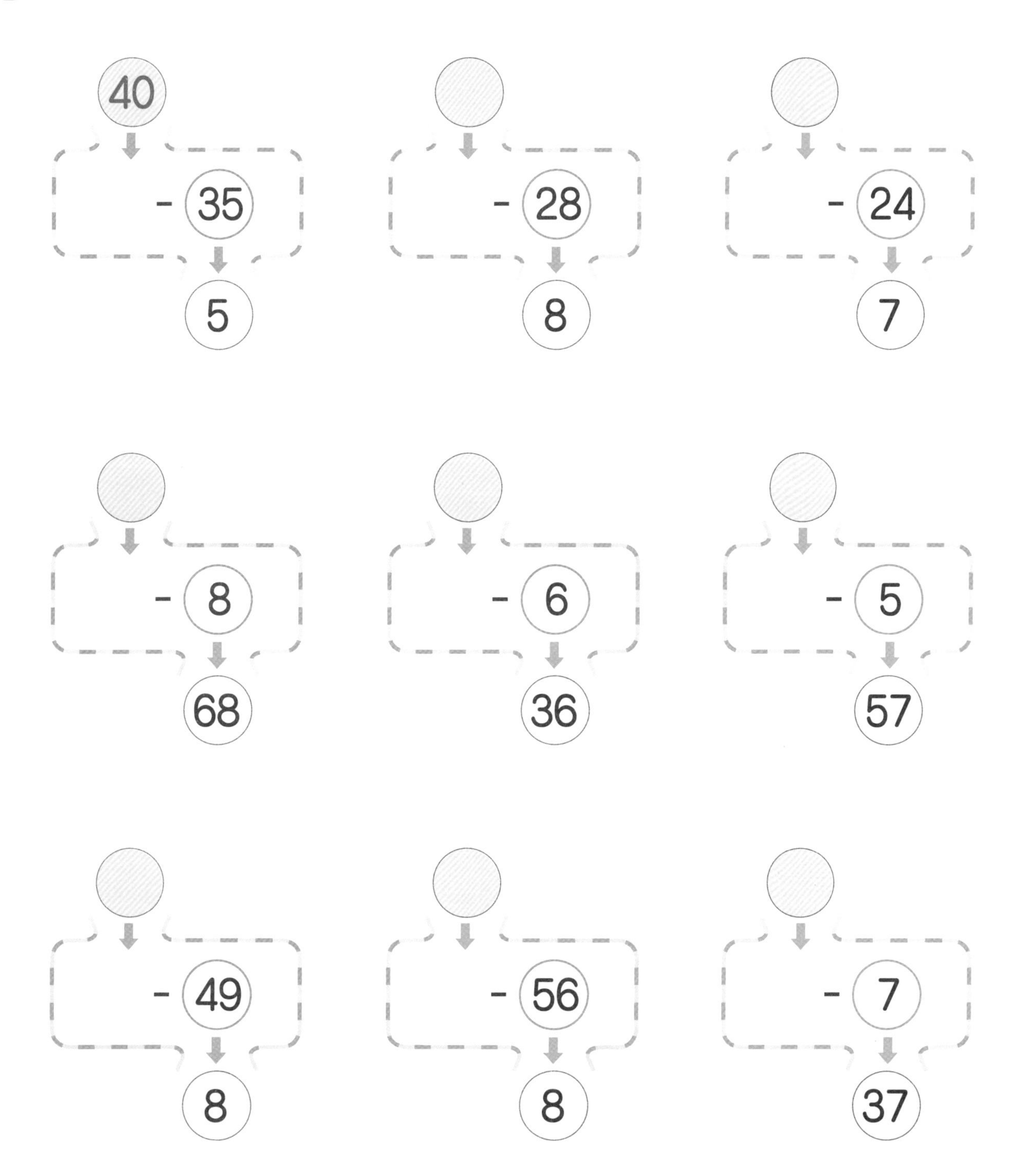

뺄셈 블럭

위의 두 수를 뺀 수가 바로 아래의 수가 되도록 빈칸에 알맞은 수를 써넣으세요.

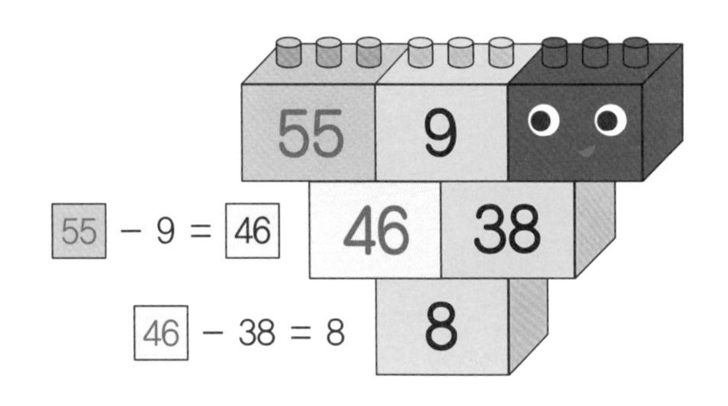

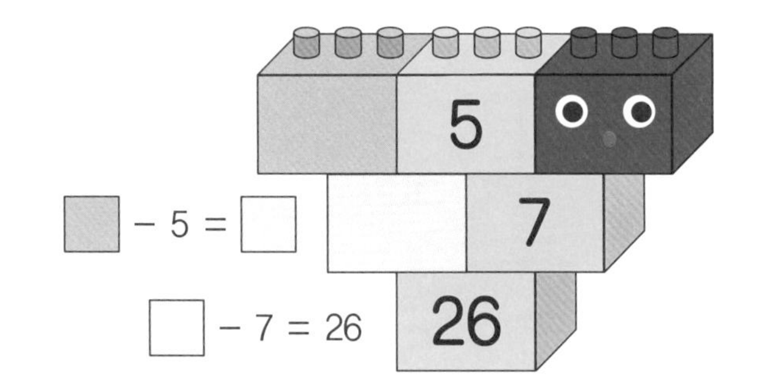

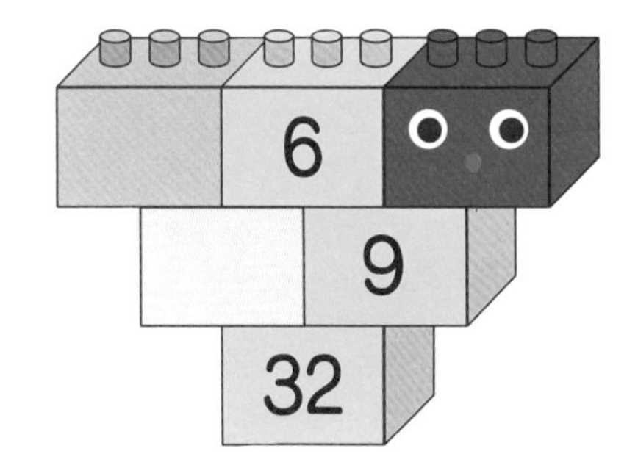

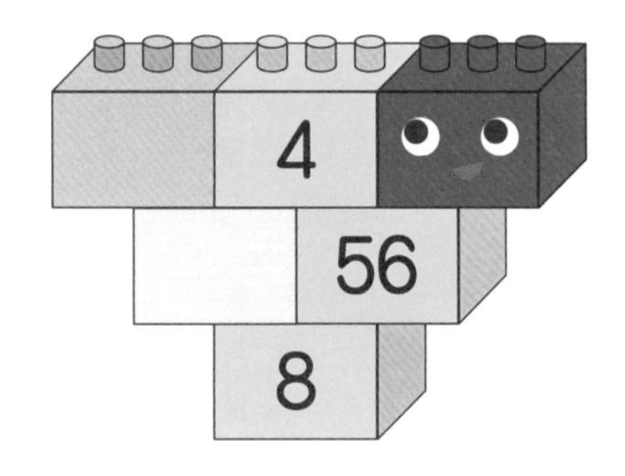

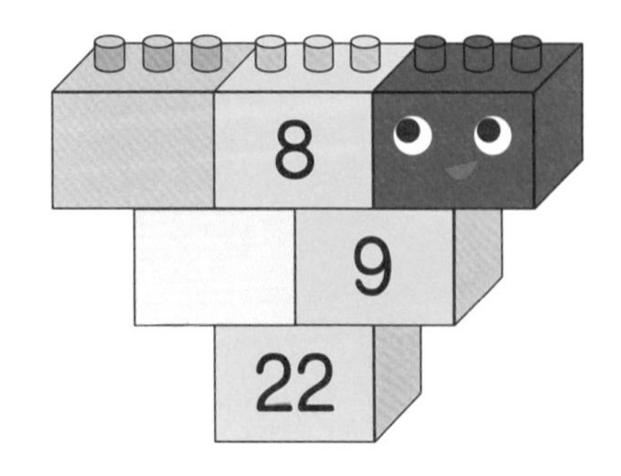

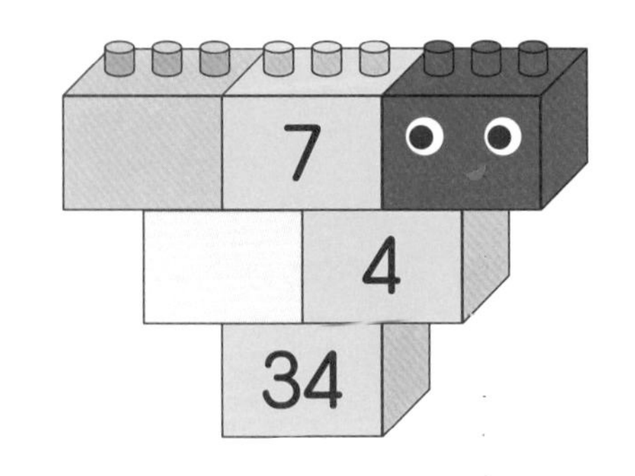

위의 두 수를 뺀 수가 바로 아래의 수가 되도록 빈칸에 알맞은 수를 써넣으세요.

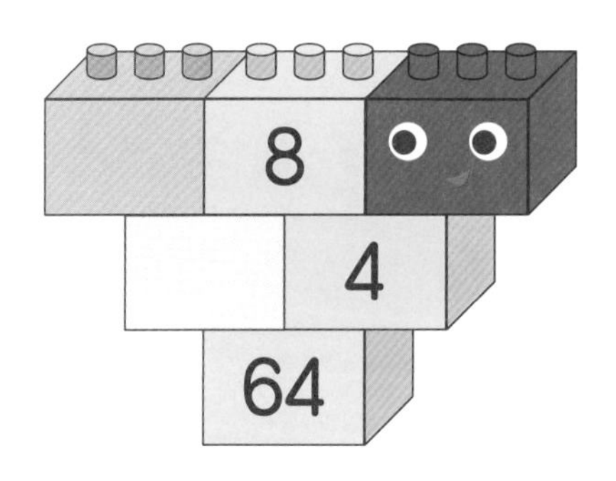

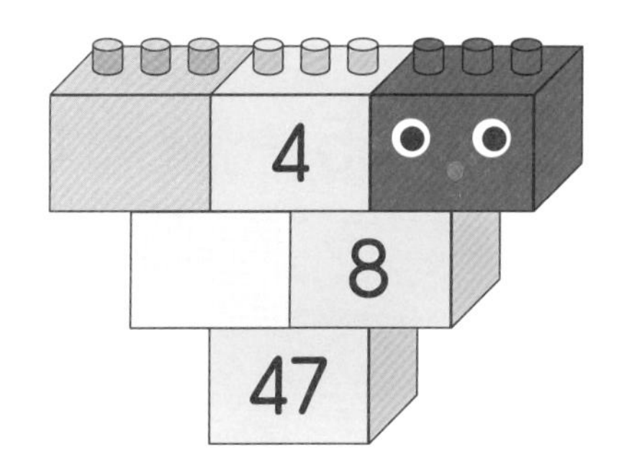

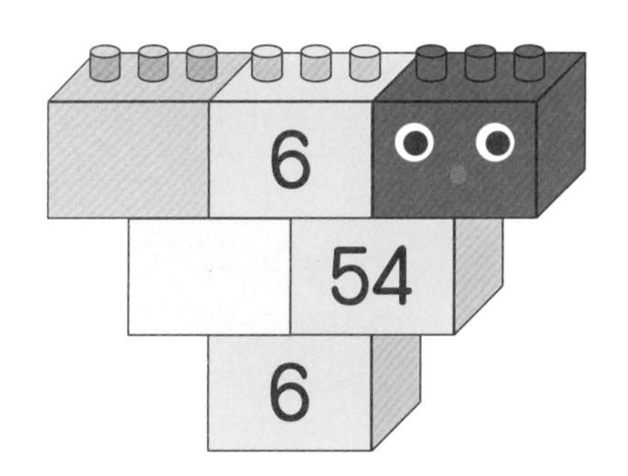

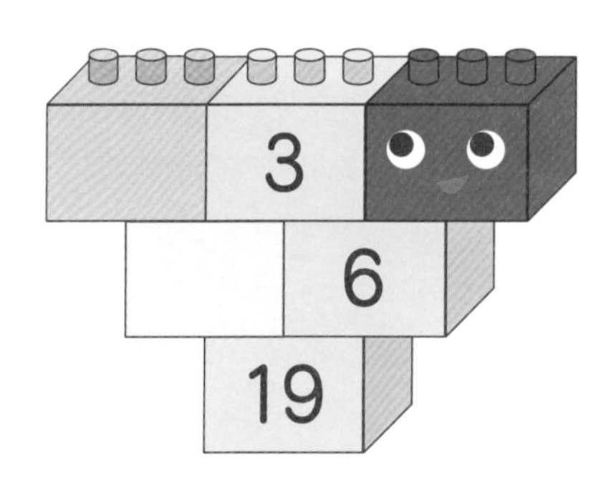

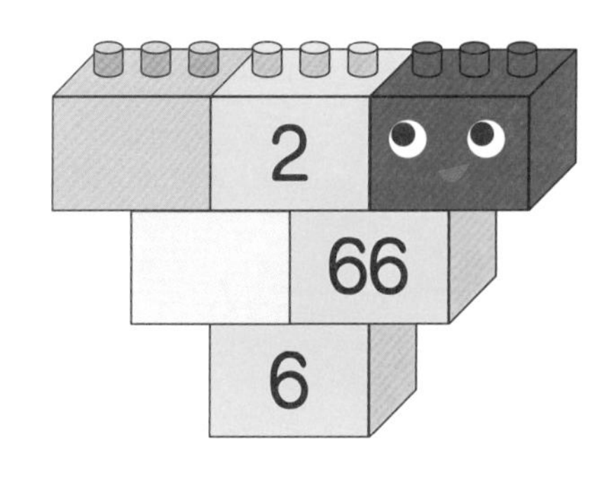

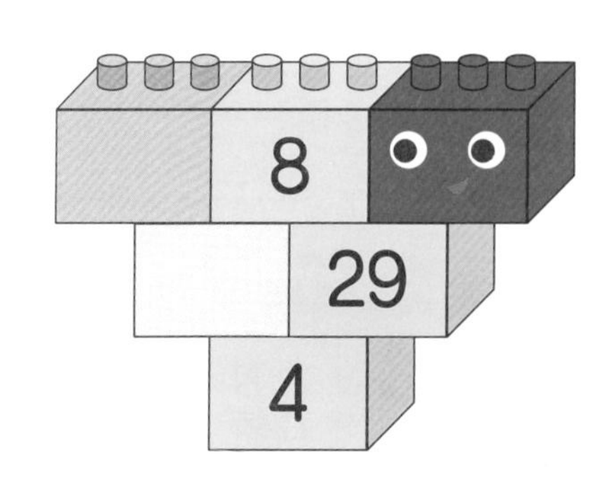

도형이 나타내는 수

식에서 같은 도형은 같은 수를, 다른 도형은 서로 다른 수를 나타냅니다.
식을 보고 도형이 나타내는 알맞은 수를 찾아 □ 안에 써넣으세요.

45 - ■(39) = 6　　4 + ▲(7) = 11　　■(39) - ▲(7) = 32

■ = 39　　▲ = 7

■ + 5 = 42　　5 + ▲ = 40　　■ - ▲ = 2

■ = □　　▲ = □

■ - 23 = 9　　6 + ▲ = 42　　■ + ▲ = 68

■ = □　　▲ = □

■ + 6 = 34　　▲ - 3 = 20　　■ - ▲ = 5

■ = □　　▲ = □

어떤 도형이 나타내는 수를 찾았을 때, 그 수를 다른 식에 있는 같은 도형에 써넣어 다른 도형이 나타내는 수를 찾을 수 있습니다.

식에서 같은 도형은 같은 수를, 다른 도형은 서로 다른 수를 나타냅니다.
식을 보고 도형이 나타내는 알맞은 수를 찾아 □ 안에 써넣으세요.

38 + 8 = 46　　4 + ★(5) = 9　　38 - ◆(33) = ★(5)

♥ = 38　　★ = 5　　◆ = 33

♥ + 3 = 60　　★ + 2 = 11　　◆ - ★ = ♥

♥ = □　　★ = □　　◆ = □

♥ - 6 = 73　　15 - ★ = 8　　♥ - ★ = ◆

♥ = □　　★ = □　　◆ = □

5 + ♥ = 11　　44 - ★ = ♥　　◆ - ♥ = ★

♥ = □　　★ = □　　◆ = □

□가 있는 식 만들기

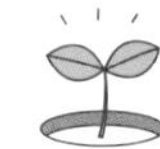
이야기를 읽고 □를 사용하여 식을 만들고, □를 구하세요.

수정이는 종이학을 접어서 좋아하는 친구에게 선물하기 위해 유리병에 종이학을 모으고 있습니다.
어느 날 동생이 수정이에게 종이학을 달라고 졸라서 그 중 6마리를 동생에게 주었더니 유리병 속에 남은 종이학은 모두 56마리가 되었습니다.
수정이가 친구에게 선물하기 위해 지금까지 접은 종이학은 모두 몇 마리일까요?

식 : □ − 6 = 56  마리

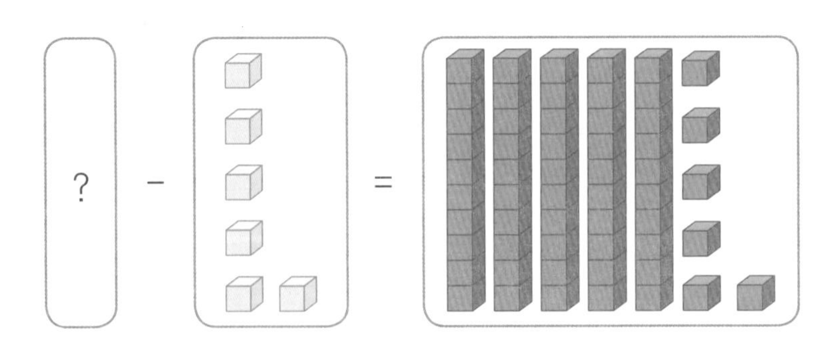

 다음을 읽고 □를 사용하여 식을 만들고, □를 구하세요.

정인이가 친구들에게 엽서를 썼습니다. 친구 27명에게 엽서를 나누어 주고 남은 엽서를 세어 보니 5장입니다. 정인이가 쓴 엽서는 모두 몇 장일까요?

식 : 장

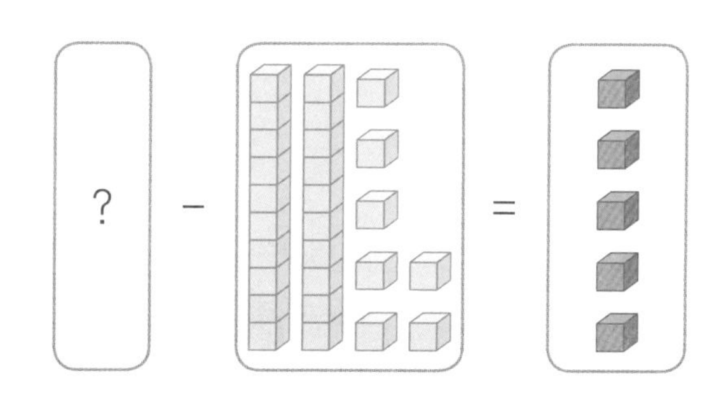

주차장에 차가 가득 차 있었는데 9대의 차가 빠져나가고 나서 34대의 차가 남았습니다. 처음에 주차장에 있던 차는 모두 몇 대일까요?

식 :  대

? - =

다음을 읽고 □를 사용하여 식을 만들고, □를 구하세요.

주머니에 사탕이 가득 들어있습니다. 동생에게 6개를 주고 나니 17개가 남았습니다. 주머니에 있던 사탕은 모두 몇 개일까요?

식 : □ 개

접시에 귤이 있습니다. 귤 4개를 까먹고 접시에 남은 귤을 세어 보니 28개입니다. 처음에 접시에 있던 귤은 모두 몇 개일까요?

식 : □ 개

종호가 오늘 수학 문제를 풀고 채점을 했더니 5개를 틀렸습니다. 종호가 맞은 문제가 47개라면 종호는 오늘 수학 문제를 모두 몇 개 풀었을까요?

식 : □ 개

다음을 읽고 □를 사용하여 식을 만들고, □를 구하세요.

지선이네 반에서 형제가 없는 사람은 9명이고, 나머지 27명은 모두 형제가 있었습니다. 지선이네 반 학생은 모두 몇 명일까요?

식 :

명

버스 한 대에서 8명의 사람이 내렸더니 버스에 남은 사람이 38명이 되었습니다. 처음에 버스를 타고 있던 사람은 모두 몇 명일까요?

식 :

명

종현이가 동생에게 41개의 구슬을 주고 남은 구슬을 세어 보니 9개였습니다. 종현이가 처음에 가지고 있던 구슬은 모두 몇 개일까요?

식 :

개

Note

소마셈 A8 – 4주차

식 만들기

목표수 만들기

 수 카드 세 장을 모두 사용하여 식을 완성하세요.

수 카드	식
7, 37, 9	37 + 7 - 9 = 35
4, 8, 62	□ - □ + 4 = 58
3, 50, 7	50 + □ - □ = 46
5, 26, 6	□ - 5 + □ = 27
9, 5, 21	21 + □ - □ = 25
4, 36, 9	□ + 4 - □ = 31

 수 카드 세 장을 모두 사용하여 식을 완성하세요.

수 카드	식
6, 60, 7	60 - 6 + 7 = 61
27, 5, 8	27 - □ + □ = 24
9, 45, 3	□ + 9 - □ = 51
9, 73, 5	73 + □ - □ = 69
8, 25, 2	25 - □ + □ = 19
6, 8, 73	73 + □ - □ = 71

벌레 먹은 셈

 빈칸에 알맞은 숫자를 써넣으세요.

$38 + 5 = 43$	$\square 3 + 7 = 7\square$	$\square 9 + 6 = 3\square$
$2\square + 4 = \square 0$	$4\square + 9 = \square 3$	$\square 7 + 5 = 2\square$
$63 - \square = \square 7$	$71 - \square = \square 6$	$4\square - 7 = \square 0$
$\square 8 - 5 = 8\square$	$5\square - 2 = \square 5$	$\square 4 - \square = 28$

빈칸에 알맞은 숫자를 써넣으세요.

$$\begin{array}{r} 5\,8 \\ +\ \ 4 \\ \hline 6\,2 \end{array}$$

$$\begin{array}{r} 1\,\square \\ +\ \ 9 \\ \hline \square\,3 \end{array}$$

$$\begin{array}{r} 4\,\square \\ +\ \ 7 \\ \hline \square\,4 \end{array}$$

$$\begin{array}{r} \square\,6 \\ +\ \ \square \\ \hline 3\,2 \end{array}$$

$$\begin{array}{r} \square\,3 \\ +\ \ \square \\ \hline 7\,0 \end{array}$$

$$\begin{array}{r} \square\,4 \\ +\ \ \square \\ \hline 6\,1 \end{array}$$

$$\begin{array}{r} \square\,6 \\ -\ \ \square \\ \hline 2\,7 \end{array}$$

$$\begin{array}{r} \square\,8 \\ -\ \ \square \\ \hline 4\,3 \end{array}$$

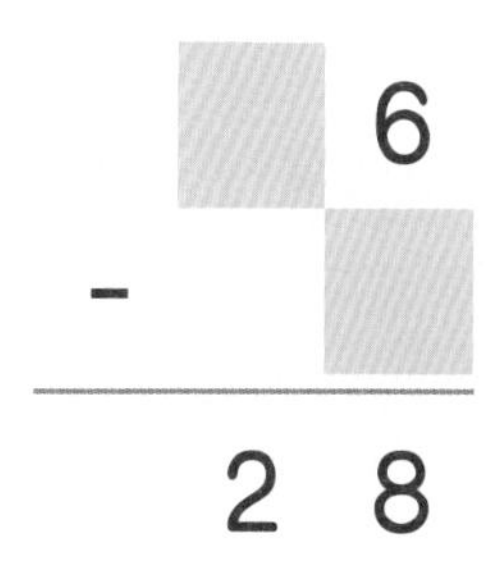

$$\begin{array}{r} \square\,6 \\ -\ \ \square \\ \hline 2\,8 \end{array}$$

$$\begin{array}{r} 8\,\square \\ -\ \ 3 \\ \hline \square\,1 \end{array}$$

$$\begin{array}{r} 6\,\square \\ -\ \ 2 \\ \hline \square\,8 \end{array}$$

$$\begin{array}{r} 5\,\square \\ -\ \ 4 \\ \hline \square\,6 \end{array}$$

덧셈식 만들기

숫자 카드를 한 번씩 사용하여 두 가지 방법으로 덧셈식을 완성하세요.

1 7 9

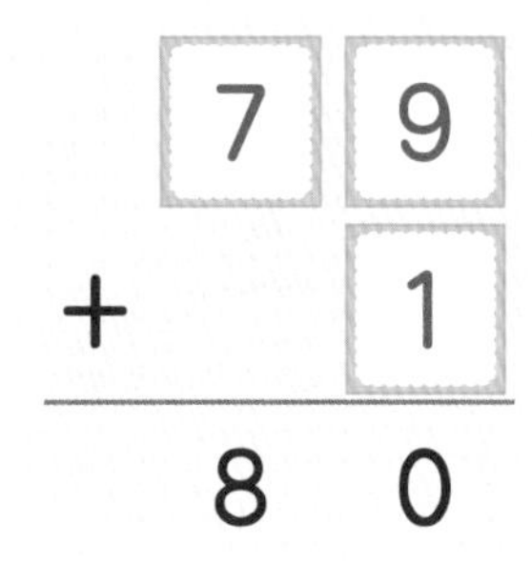

7 1
\+ 9
8 0

6 8 5

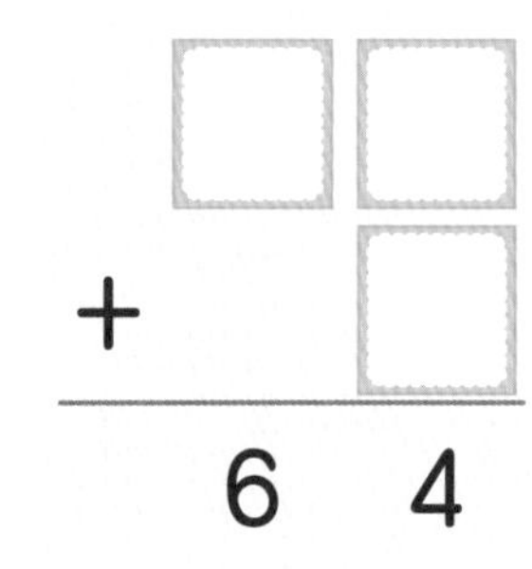

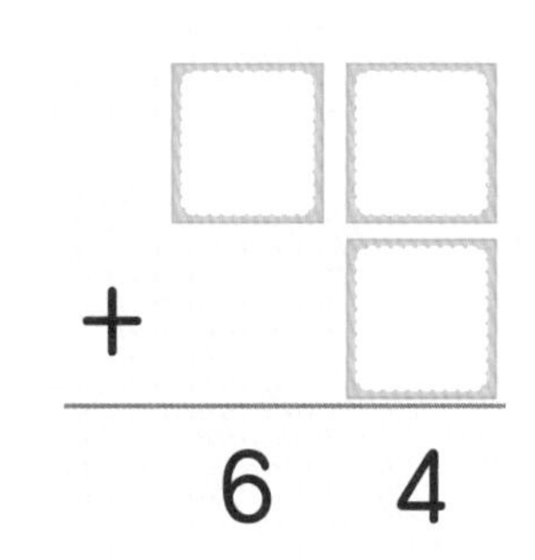

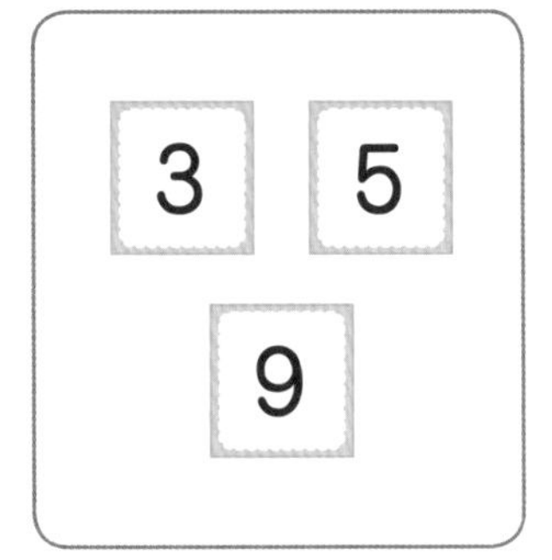

\+
4 4

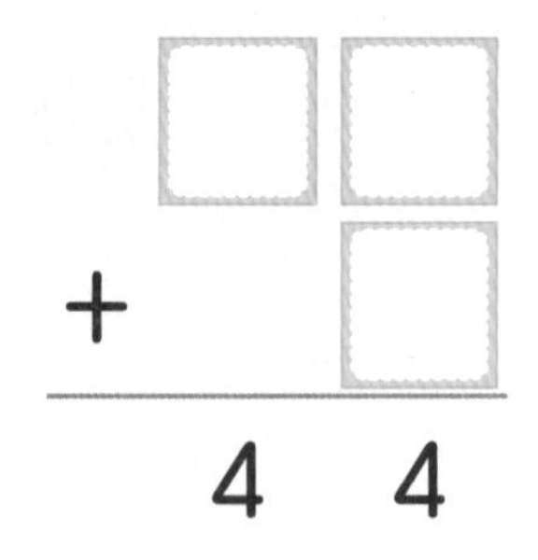

5 2 6

\+
5 8

\+
5 8

숫자 카드를 한 번씩 사용하여 두 가지 방법으로 덧셈식을 완성하세요.

7 6 9

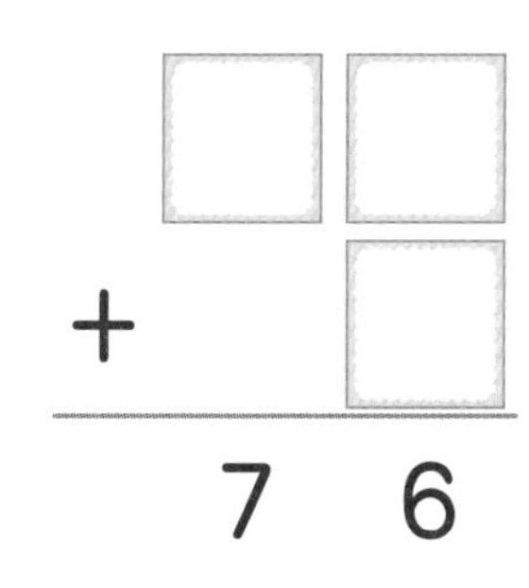

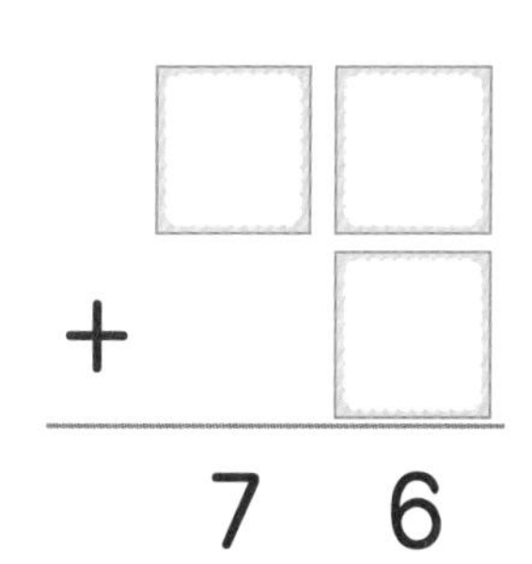

7 5 6

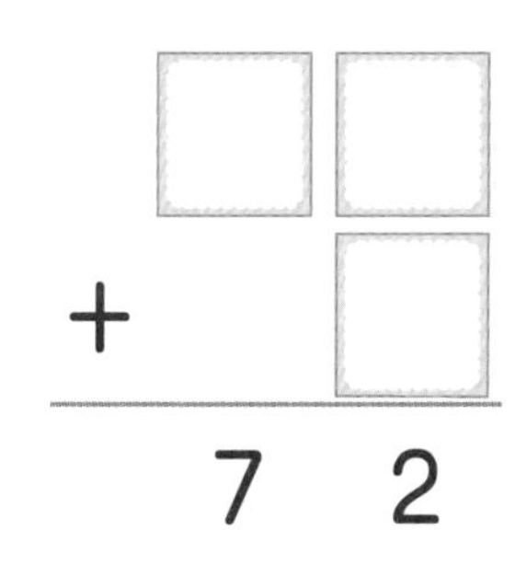

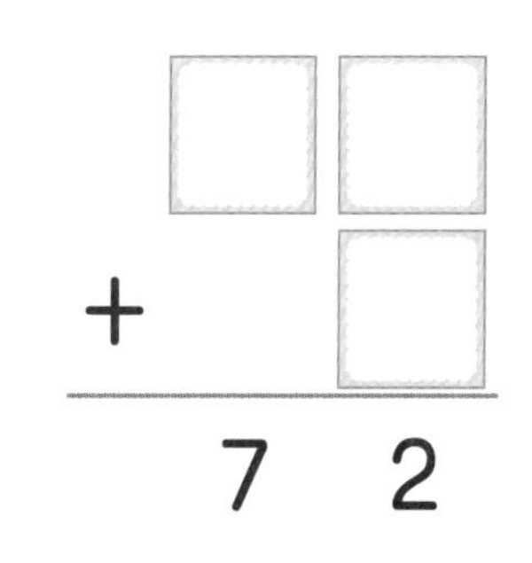

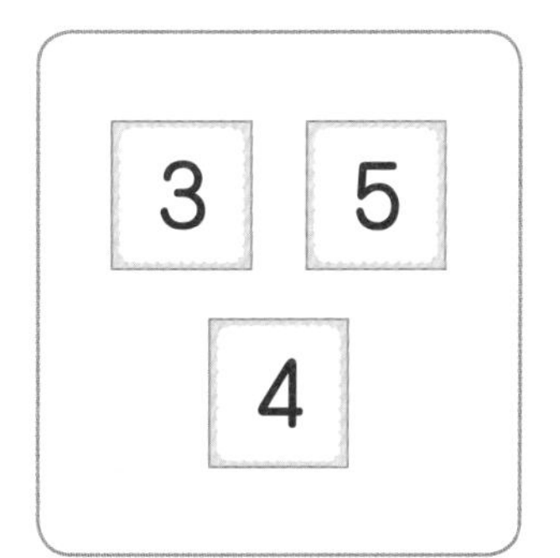

$+ \square\square + \square = 57$

$+ \square\square + \square = 57$

2 7 9

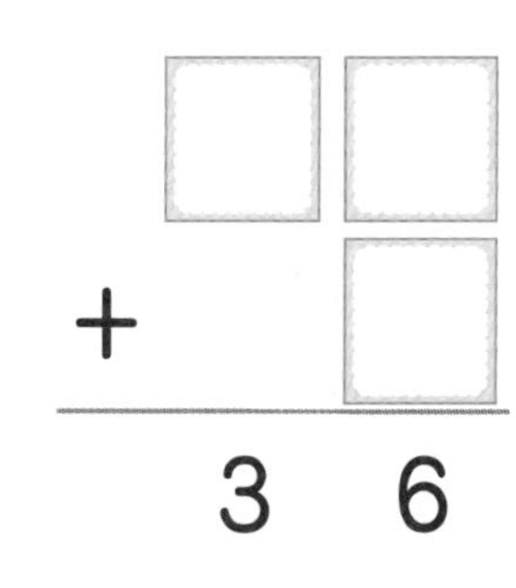

$+ \square\square + \square = 36$

뺄셈식 만들기

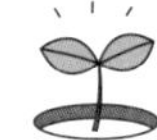 숫자 카드를 한 번씩 사용하여 뺄셈식을 완성하세요.

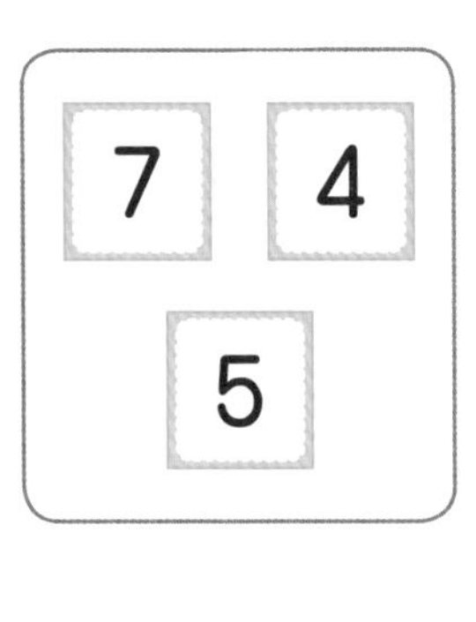

숫자 카드: 7, 4, 5

$$\begin{array}{r} 5\ 4 \\ -\quad 7 \\ \hline 4\ 7 \end{array}$$

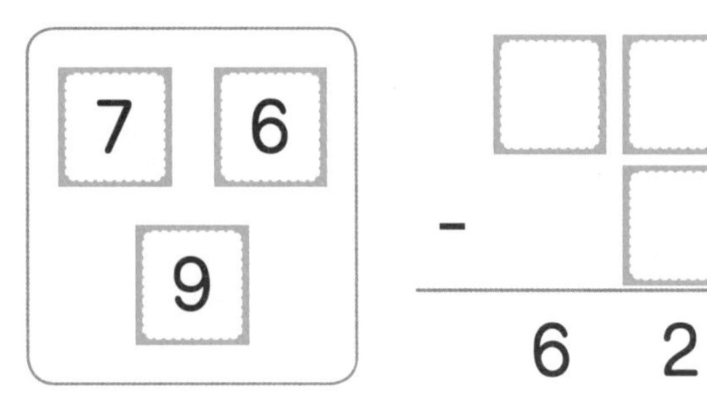

숫자 카드: 7, 6, 9

$$\begin{array}{r} \square\ \square \\ -\quad \square \\ \hline 6\ 2 \end{array}$$

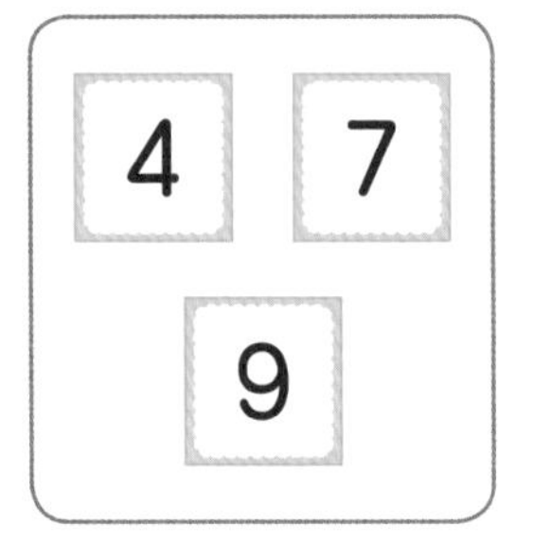

숫자 카드: 4, 7, 9

$$\begin{array}{r} \square\ \square \\ -\quad \square \\ \hline 6\ 5 \end{array}$$

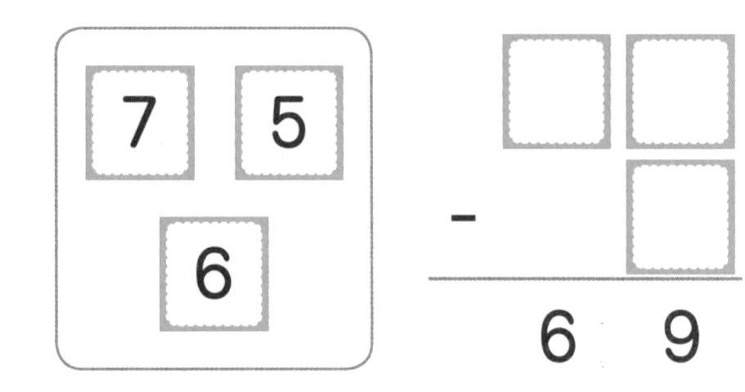

숫자 카드: 7, 5, 6

$$\begin{array}{r} \square\ \square \\ -\quad \square \\ \hline 6\ 9 \end{array}$$

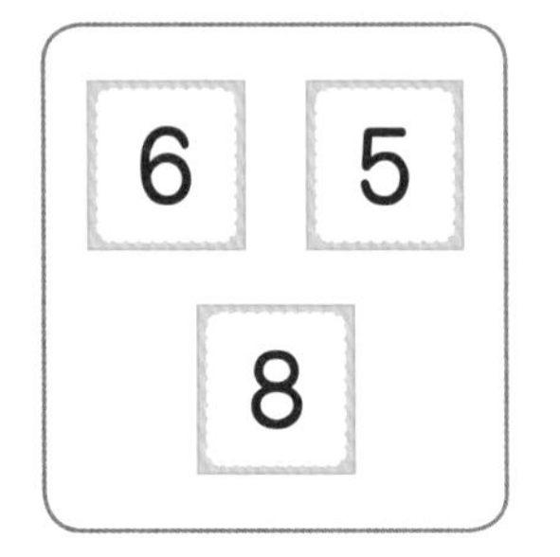

숫자 카드: 6, 5, 8

$$\begin{array}{r} \square\ \square \\ -\quad \square \\ \hline 5\ 7 \end{array}$$

숫자 카드: 3, 5, 4

$$\begin{array}{r} \square\ \square \\ -\quad \square \\ \hline 4\ 2 \end{array}$$

숫자 카드: 7, 3, 4

$$\begin{array}{r} \square\ \square \\ -\quad \square \\ \hline 3\ 3 \end{array}$$

숫자 카드: 2, 7, 9

$$\begin{array}{r} \square\ \square \\ -\quad \square \\ \hline 6\ 3 \end{array}$$

숫자 카드를 한 번씩 사용하여 뺄셈식을 완성하세요.

카드: 1, 7, 4

$$\begin{array}{r} \square\square \\ - \quad \square \\ \hline 4\ 6 \end{array}$$

카드: 3, 7, 3

$$\begin{array}{r} \square\square \\ - \quad \square \\ \hline 2\ 6 \end{array}$$

카드: 8, 4, 2

$$\begin{array}{r} \square\square \\ - \quad \square \\ \hline 4\ 6 \end{array}$$

카드: 7, 8, 3

$$\begin{array}{r} \square\square \\ - \quad \square \\ \hline 7\ 6 \end{array}$$

카드: 8, 3, 6

$$\begin{array}{r} \square\square \\ - \quad \square \\ \hline 7\ 7 \end{array}$$

카드: 7, 3, 4

$$\begin{array}{r} \square\square \\ - \quad \square \\ \hline 3\ 6 \end{array}$$

카드: 7, 8, 3

$$\begin{array}{r} \square\square \\ - \quad \square \\ \hline 8\ 4 \end{array}$$

카드: 6, 6, 4

$$\begin{array}{r} \square\square \\ - \quad \square \\ \hline 5\ 8 \end{array}$$

삼각형 덧셈

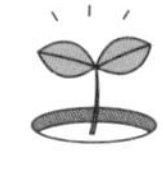 선으로 이어진 ◯ 안의 두 수의 합이 □ 안의 수가 되도록 빈칸에 알맞은 수를 써넣으세요.

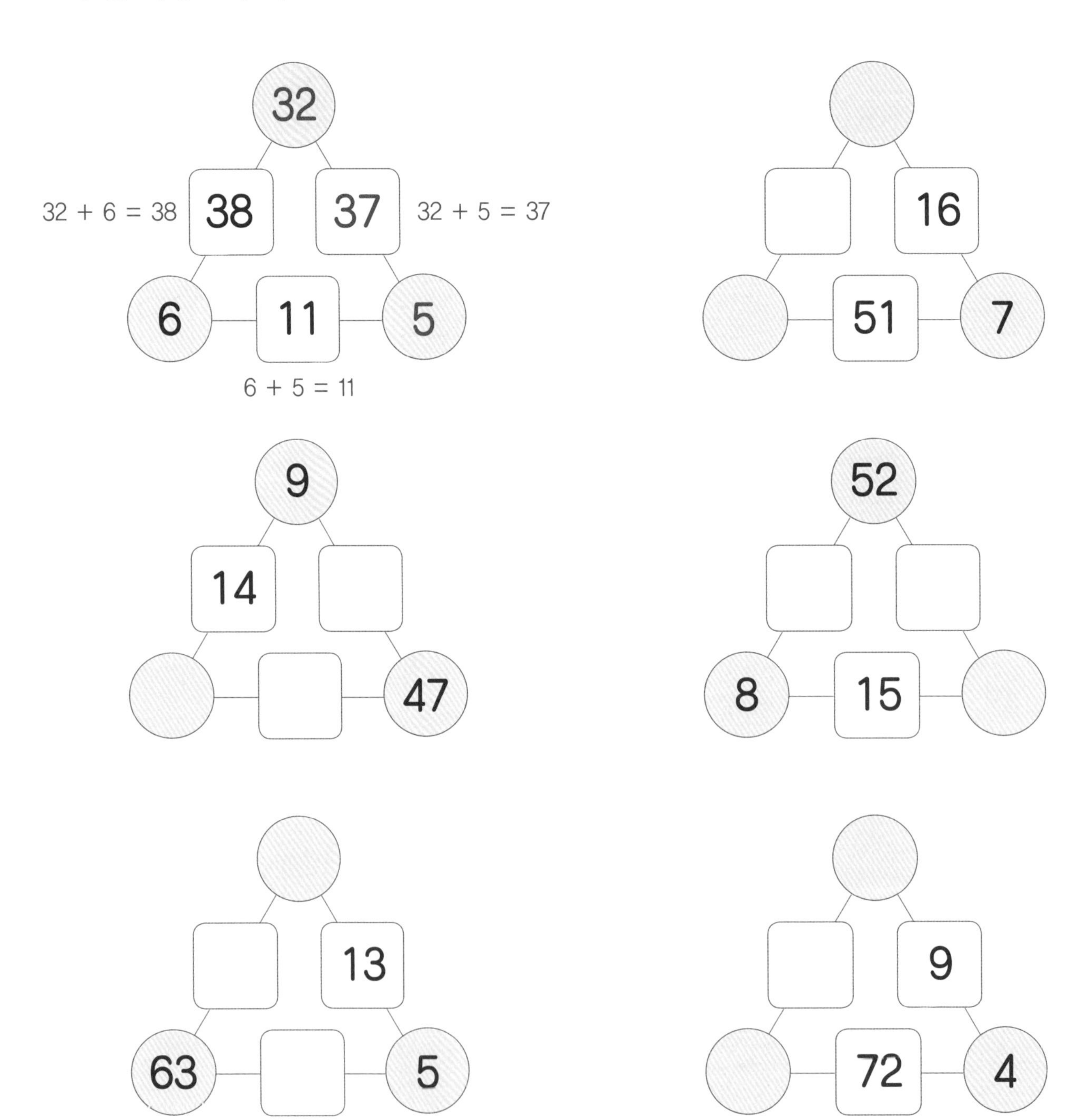

각 줄의 ▲안의 세 수의 합이 ◯ 안의 수가 되도록 빈칸에 알맞은 수를 써넣으세요.

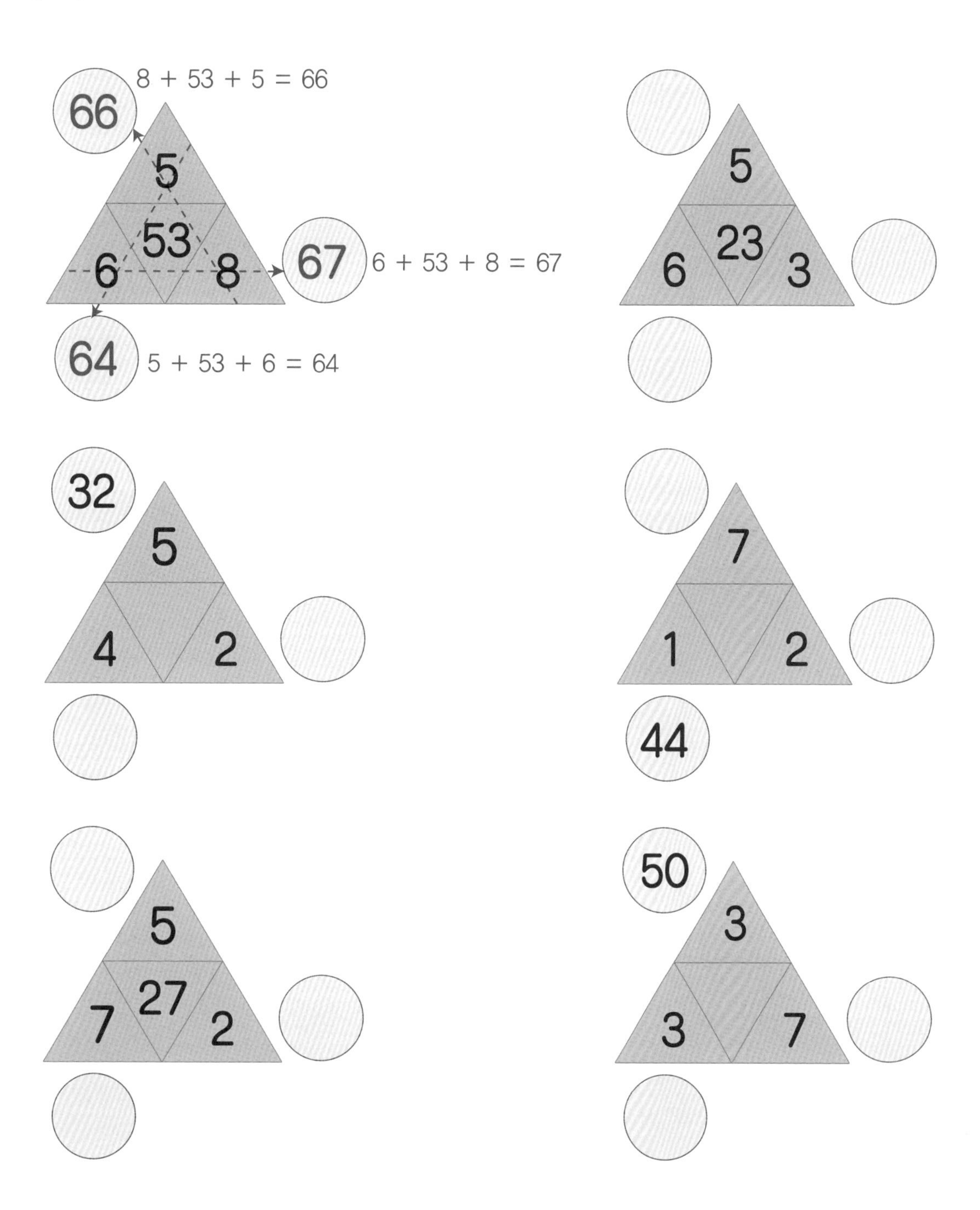

Note

보충학습

Drill

어떤 수 + □

□ 안에 알맞은 수를 써넣어, △가 나타내는 수를 구하세요.

5 + △ = 41

△ = □ - □ = □

4 + △ = 37

△ = □ - □ = □

5 + △ = 74

△ = □ - □ = □

6 + △ = 34

△ = □ - □ = □

△ + 6 = 56

△ = □ - □ = □

△ + 9 = 35

△ = □ - □ = □

△ + 7 = 56

△ = □ - □ = □

△ + 4 = 83

△ = □ - □ = □

□안에 알맞은 수를 써넣으세요.

$6 + \square = 62$

$\square + 5 = 39$

$5 + \square = 52$

$\square + 7 = 21$

$3 + \square = 60$

$\square + 4 = 73$

$\square + 1 = 29$

$\square + 4 = 71$

$8 + \square = 56$

$\square + 6 = 33$

$4 + \square = 42$

$5 + \square = 24$

$\square + 7 = 95$

$\square + 6 = 43$

□안에 알맞은 수를 써넣어, ▲가 나타내는 수를 구하세요.

4 + ▲ = 42

▲ = □ - □ = □

9 + ▲ = 27

▲ = □ - □ = □

6 + ▲ = 53

▲ = □ - □ = □

7 + ▲ = 34

▲ = □ - □ = □

▲ + 3 = 50

▲ = □ - □ = □

▲ + 5 = 41

▲ = □ - □ = □

▲ + 4 = 62

▲ = □ - □ = □

▲ + 6 = 73

▲ = □ - □ = □

□안에 알맞은 수를 써넣으세요.

$5 + \square = 32$

$6 + \square = 25$

$\square + 4 = 40$

$\square + 6 = 42$

$\square + 6 = 22$

$\square + 7 = 55$

$8 + \square = 56$

$3 + \square = 61$

$\square + 4 = 33$

$7 + \square = 53$

$7 + \square = 49$

$\square + 6 = 43$

$\square + 8 = 53$

$\square + 6 = 61$

어떤 수 - □

□ 안에 알맞은 수를 써넣어, △가 나타내는 수를 구하세요.

37 - △ = 3

△ = □ - □ = □

29 - △ = 2

△ = □ - □ = □

47 - △ = 9

△ = □ - □ = □

53 - △ = 4

△ = □ - □ = □

35 - △ = 6

△ = □ - □ = □

62 - △ = 9

△ = □ - □ = □

81 - △ = 3

△ = □ - □ = □

36 - △ = 9

△ = □ - □ = □

□안에 알맞은 수를 써넣으세요.

$22 - \square = 5$

$44 - \square = 7$

$63 - \square = 7$

$35 - \square = 9$

$84 - \square = 8$

$39 - \square = 3$

$51 - \square = 6$

$21 - \square = 7$

$66 - \square = 8$

$28 - \square = 9$

$74 - \square = 5$

$34 - \square = 8$

$76 - \square = 7$

$62 - \square = 6$

□ 안에 알맞은 수를 써넣어, ▲가 나타내는 수를 구하세요.

30 - ▲ = 5

▲ = □ - □ = □

45 - ▲ = 6

▲ = □ - □ = □

57 - ▲ = 6

▲ = □ - □ = □

40 - ▲ = 7

▲ = □ - □ = □

55 - ▲ = 8

▲ = □ - □ = □

46 - ▲ = 8

▲ = □ - □ = □

87 - ▲ = 9

▲ = □ - □ = □

63 - ▲ = 8

▲ = □ - □ = □

□ 안에 알맞은 수를 써넣으세요.

$34 - \square = 6$

$63 - \square = 8$

$52 - \square = 7$

$48 - \square = 9$

$44 - \square = 7$

$82 - \square = 3$

$45 - \square = 6$

$36 - \square = 5$

$41 - \square = 8$

$60 - \square = 4$

$33 - \square = 5$

$72 - \square = 9$

$32 - \square = 6$

$54 - \square = 7$

□ - 어떤 수

□ 안에 알맞은 수를 써넣어, △가 나타내는 수를 구하세요.

△ - 3 = 45

△ = □ + □ = □

△ - 6 = 66

△ = □ + □ = □

△ - 3 = 27

△ = □ + □ = □

△ - 6 = 57

△ = □ + □ = □

△ - 5 = 55

△ = □ + □ = □

△ - 5 = 48

△ = □ + □ = □

△ - 8 = 33

△ = □ + □ = □

△ - 8 = 79

△ = □ + □ = □

□안에 알맞은 수를 써넣으세요.

$\square - 5 = 39$

$\square - 6 = 28$

$\square - 6 = 54$

$\square - 8 = 87$

$\square - 8 = 29$

$\square - 3 = 45$

$\square - 5 = 28$

$\square - 7 = 43$

$\square - 5 = 47$

$\square - 4 = 29$

$\square - 7 = 77$

$\square - 7 = 56$

$\square - 6 = 69$

$\square - 4 = 46$

□안에 알맞은 수를 써넣어, ▲가 나타내는 수를 구하세요.

▲ - 5 = 36

▲ = □ + □ = □

▲ - 4 = 29

▲ = □ + □ = □

▲ - 2 = 39

▲ = □ + □ = □

▲ - 6 = 64

▲ = □ + □ = □

▲ - 6 = 44

▲ = □ + □ = □

▲ - 5 = 57

▲ = □ + □ = □

▲ - 7 = 35

▲ = □ + □ = □

▲ - 9 = 53

▲ = □ + □ = □

□안에 알맞은 수를 써넣으세요.

$\square - 7 = 26$

$\square - 9 = 35$

$\square - 8 = 53$

$\square - 7 = 47$

$\square - 5 = 34$

$\square - 3 = 38$

$\square - 6 = 27$

$\square - 2 = 57$

$\square - 7 = 49$

$\square - 4 = 66$

$\square - 6 = 68$

$\square - 4 = 70$

$\square - 4 = 48$

$\square - 5 = 80$

식 만들기

수 카드를 빈칸에 넣어 덧셈식을 완성하세요.

4 8
5

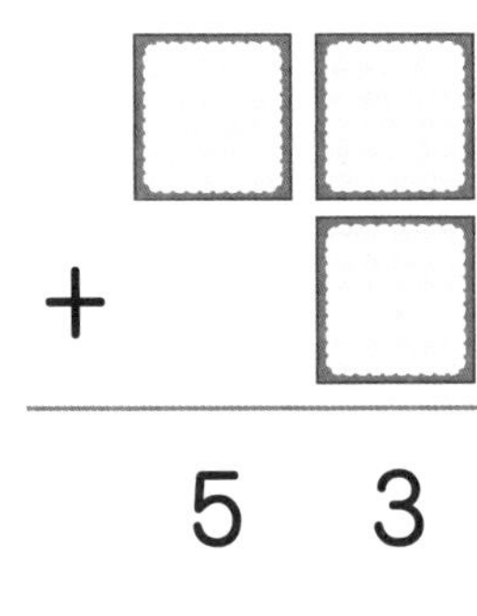

$$\square\square + \square = 53$$

$$\square\square + \square = 53$$

8 4
6

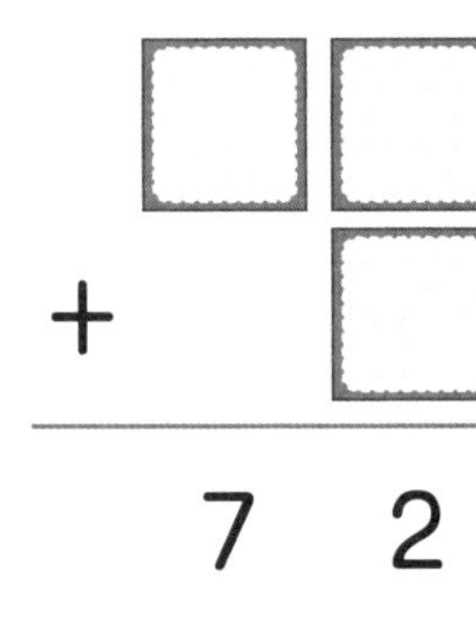

$$\square\square + \square = 72$$

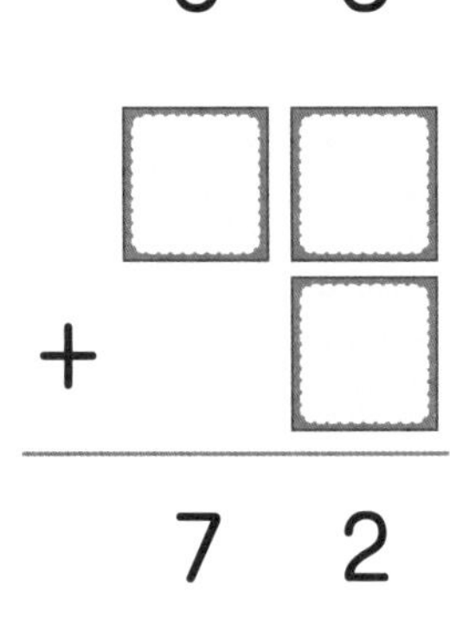

$$\square\square + \square = 72$$

7 4
7

$$\square\square + \square = 81$$

$$\square\square + \square = 81$$

4 2
9

$$\square\square + \square = 51$$

$$\square\square + \square = 51$$

선으로 이어진 ◯ 안의 두 수의 합이 □ 안의 수가 되도록 빈칸에 알맞은 수를 써 넣으세요.

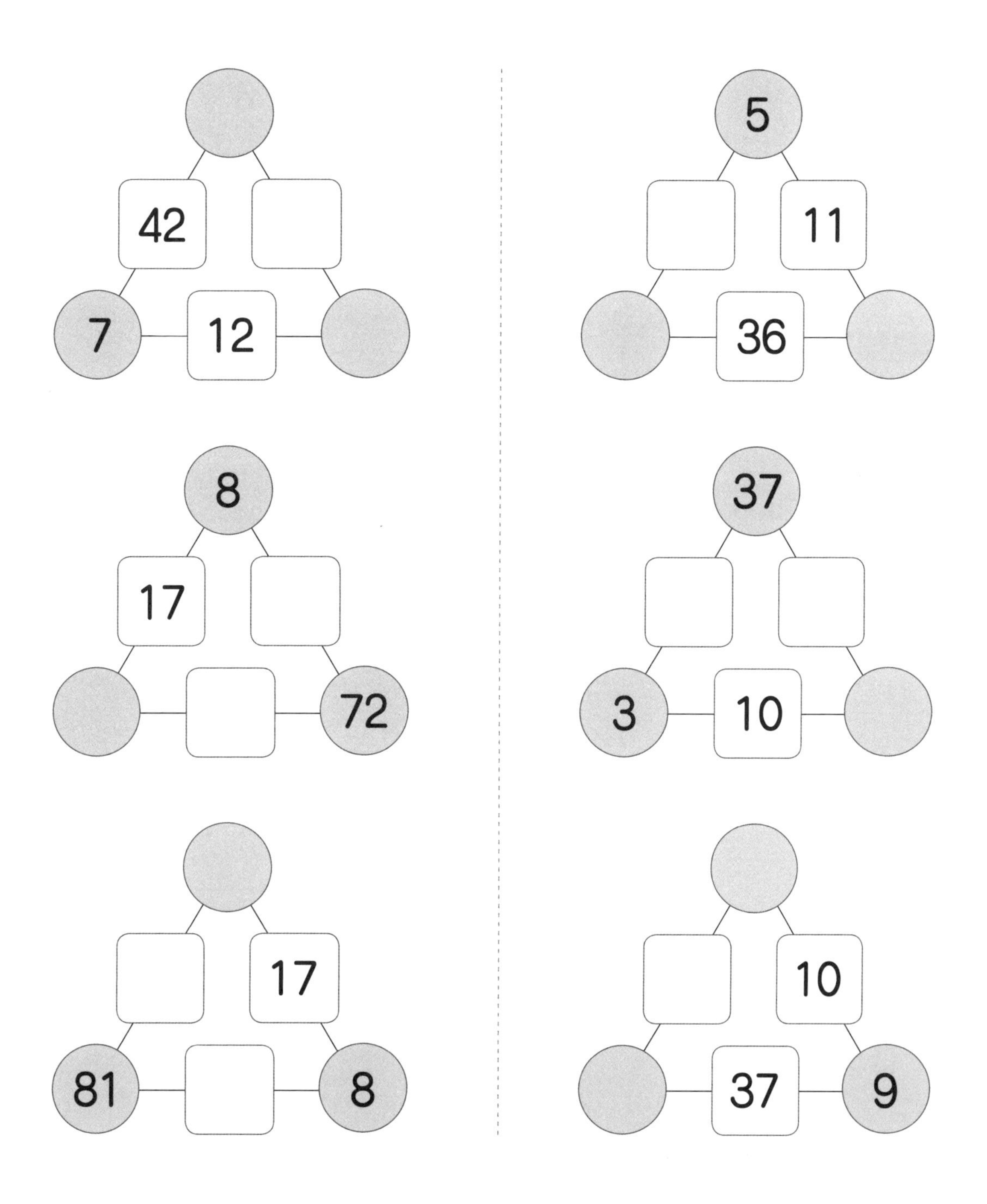

수 카드를 빈칸에 넣어 뺄셈식을 완성하세요.

4 5 6

□□ - □ = 3 9

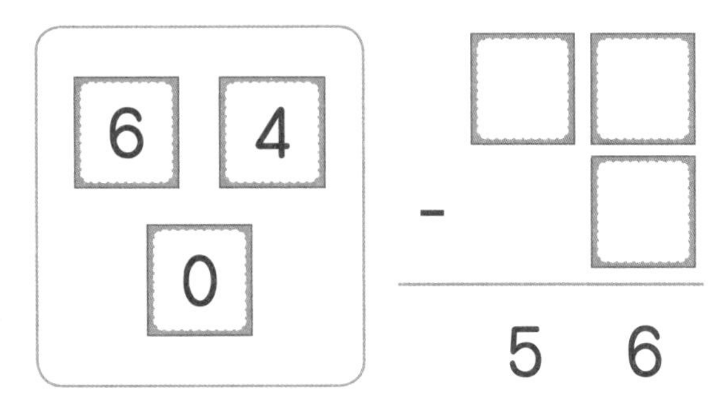

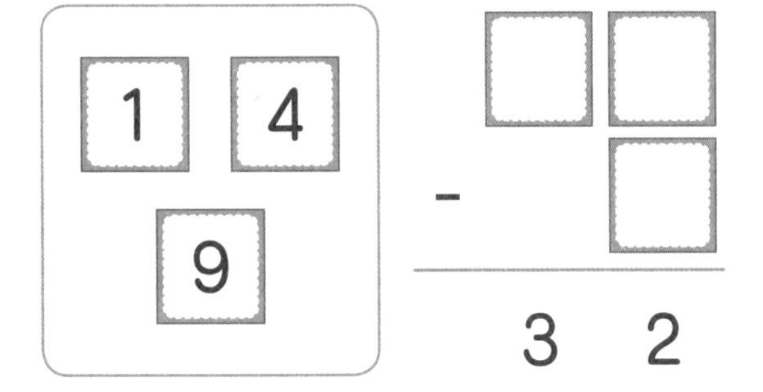

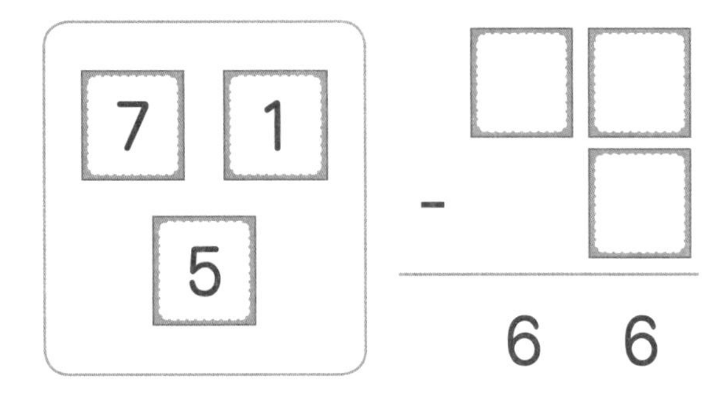

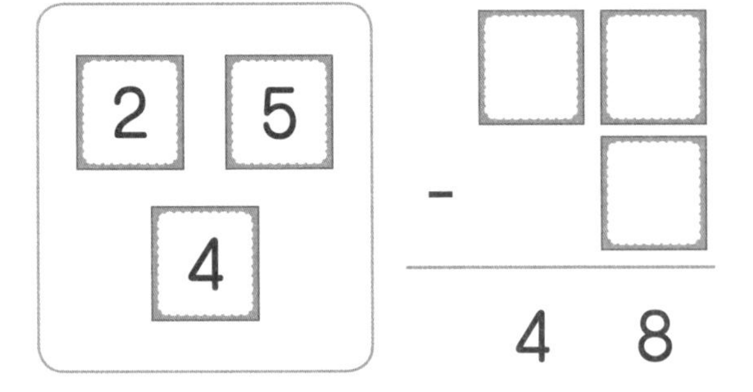

7 4 4

□□ - □ = 3 7

6 3 9

□□ - □ = 5 4

8 7 9

□□ - □ = 7 1

선으로 이어진 ◯ 안의 두 수의 합이 □ 안의 수가 되도록 빈칸에 알맞은 수를 써넣으세요.

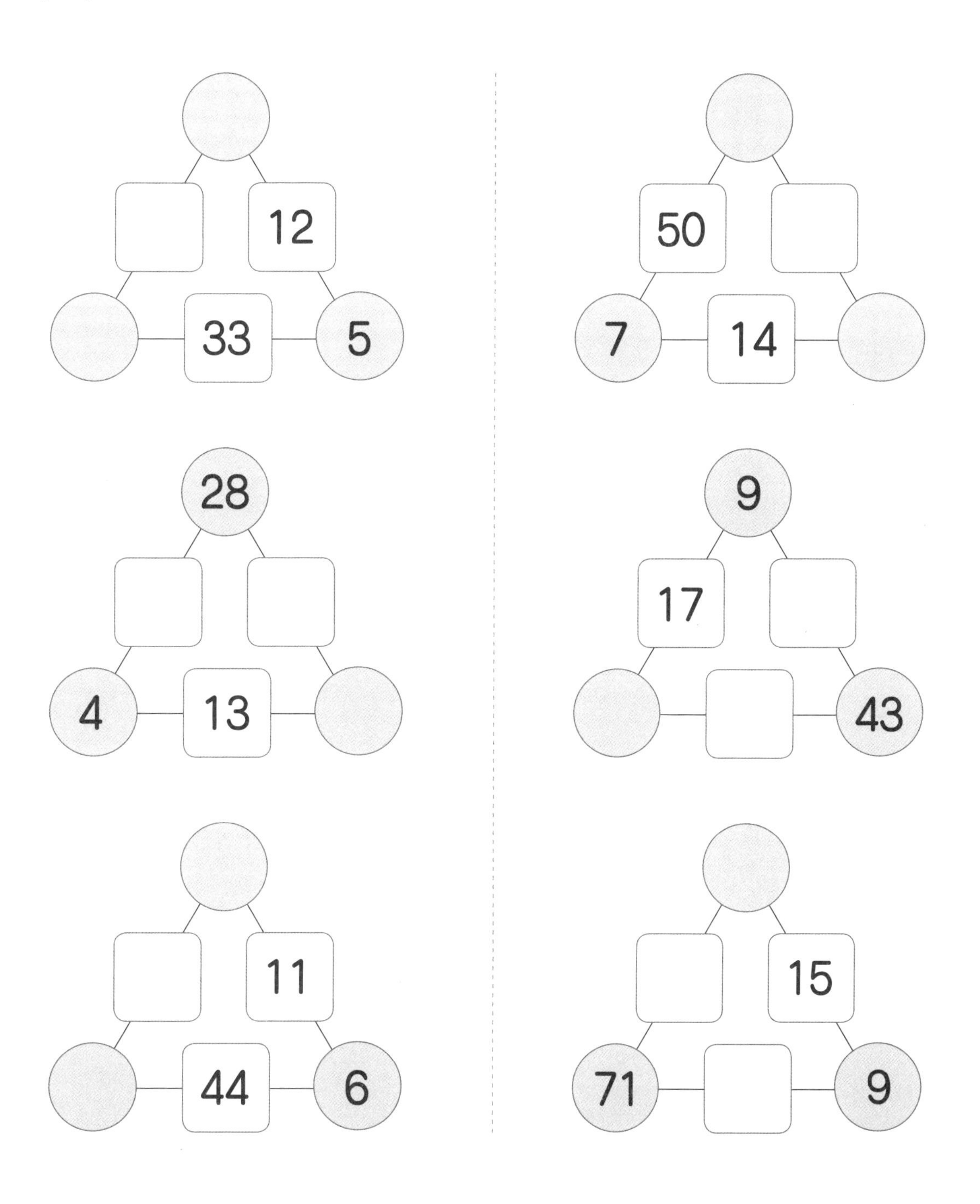

Note

정답

정답

P 8 ~ 9

1 일 차 어떤 수 + □

그림을 보고 덧셈식을 뺄셈식으로 바꾸어 ★이 나타내는 수를 구하세요.

8 + ★ = 23
★ = 23 - 8
= 15

5 + ★ = 39
★ = 39 - 5
= 34

7 + ★ = 33
★ = 33 - 7
= 26

★ + 5 = 21
★ = 21 - 5
= 16

★ + 7 = 42
★ = 42 - 7
= 35

TIP
8+★=23일 때, 더해진 수인 ★은 23-8과 같음을 그림을 통해 이해하여, 덧셈식을 뺄셈식으로 바꾸어 해결할 수 있습니다.

덧셈식을 뺄셈식으로 바꾸어 ★이 나타내는 수를 구하세요.

2 + ★ = 41
★ = 41 - 2
= 39

7 + ★ = 40
★ = 40 - 7
= 33

★ + 5 = 33
★ = 33 - 5
= 28

9 + ★ = 26
★ = 26 - 9
= 17

8 + ★ = 58
★ = 58 - 8
= 50

★ + 3 = 23
★ = 23 - 3
= 20

P 10 ~ 11

덧셈식을 뺄셈식으로 바꾸어 ★이 나타내는 수를 구하세요.

★ + 8 = 21
★ = 21 - 8
= 13

6 + ★ = 32
★ = 32 - 6
= 26

4 + ★ = 67
★ = 67 - 4
= 63

★ + 9 = 42
★ = 42 - 9
= 33

★ + 7 = 55
★ = 55 - 7
= 48

3 + ★ = 38
★ = 38 - 3
= 35

2 일 차 수직선과 수 상자

수직선을 보고, □안에 알맞은 수를 써넣으세요.

+8, +47 (0 ~ 55): 8 + 47 = 55

+6, + □ (0 ~ 44): 6 + 38 = 44

+ □, +7 (0 ~ 25): 18 + 7 = 25

+ □, +9 (0 ~ 42): 33 + 9 = 42

+6, + □ (0 ~ 53): 6 + 47 = 53

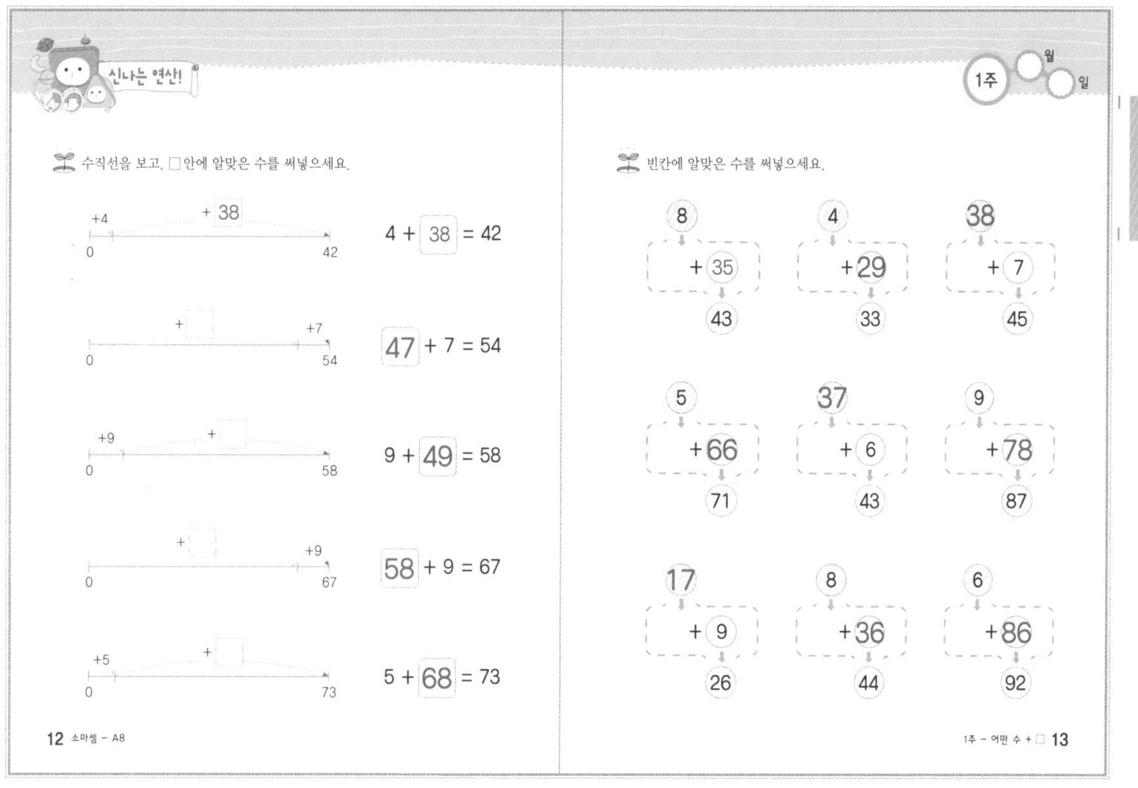
신나는 연산!

수직선을 보고, □ 안에 알맞은 수를 써넣으세요.

- 4 + 38 = 42
- 47 + 7 = 54
- 9 + 49 = 58
- 58 + 9 = 67
- 5 + 68 = 73

12 소마셈 - A8

1주 월 일

빈칸에 알맞은 수를 써넣으세요.

- 8 → + 35 → 43
- 4 → + 29 → 33
- 38 → + 7 → 45
- 5 → + 66 → 71
- 37 → + 6 → 43
- 9 → + 78 → 87
- 17 → + 9 → 26
- 8 → + 36 → 44
- 6 → + 86 → 92

1주 - 어떤 수 + □ 13

P 12 ~ 13

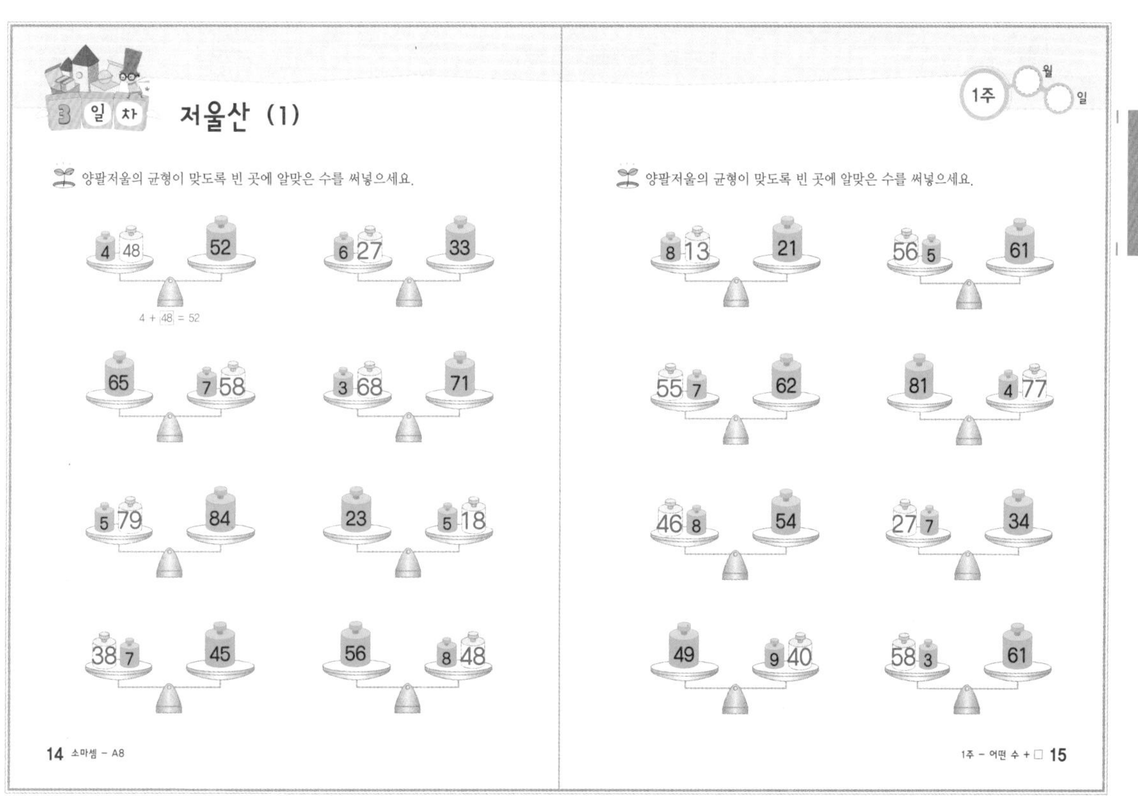
3일차 저울산 (1)

양팔저울의 균형이 맞도록 빈 곳에 알맞은 수를 써넣으세요.

- 4, 48 | 52 (4 + 48 = 52)
- 6, 27 | 33
- 65 | 7, 58
- 3, 68 | 71
- 5, 79 | 84
- 23 | 5, 18
- 38, 7 | 45
- 56 | 8, 48

14 소마셈 - A8

1주 월 일

양팔저울의 균형이 맞도록 빈 곳에 알맞은 수를 써넣으세요.

- 8, 13 | 21
- 56, 5 | 61
- 55, 7 | 62
- 81 | 4, 77
- 46, 8 | 54
- 27, 7 | 34
- 49 | 9, 40
- 58, 3 | 61

1주 - 어떤 수 + □ 15

P 14 ~ 15

정답

P 16 ~ 17

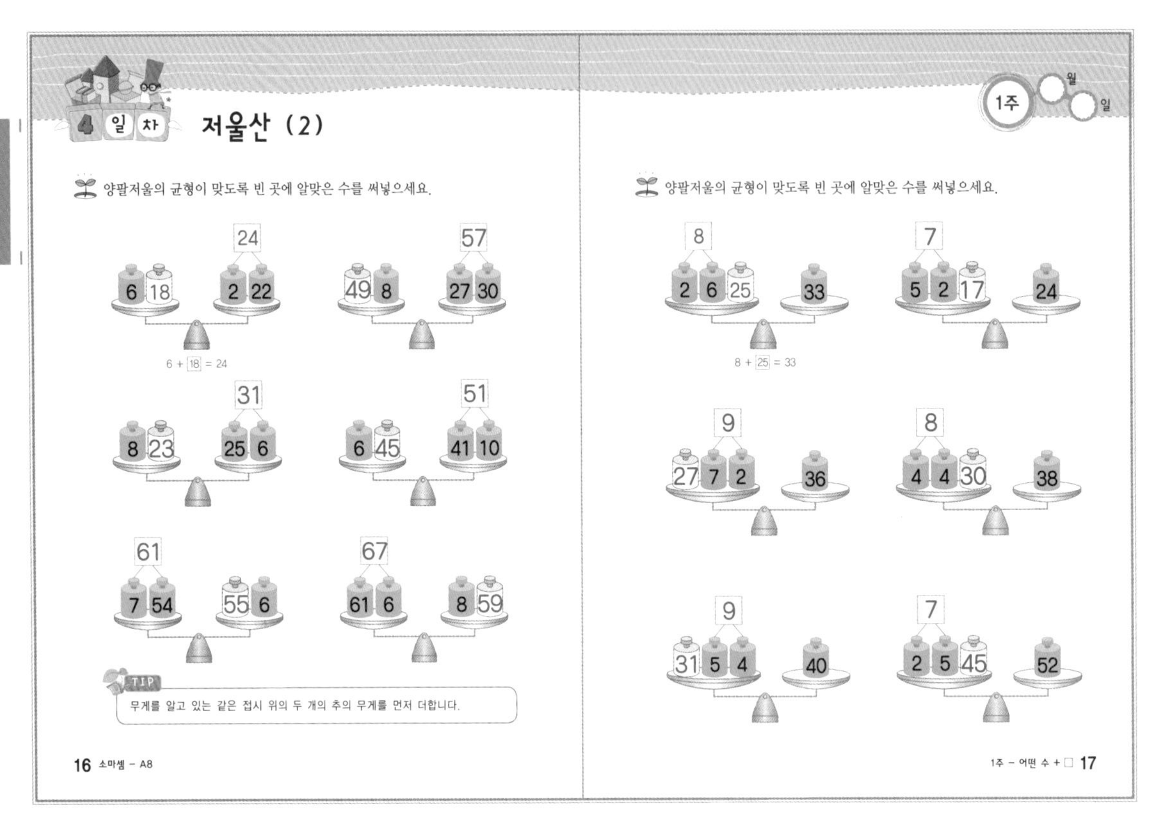

P 18 ~ 19

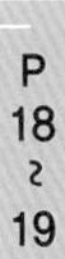

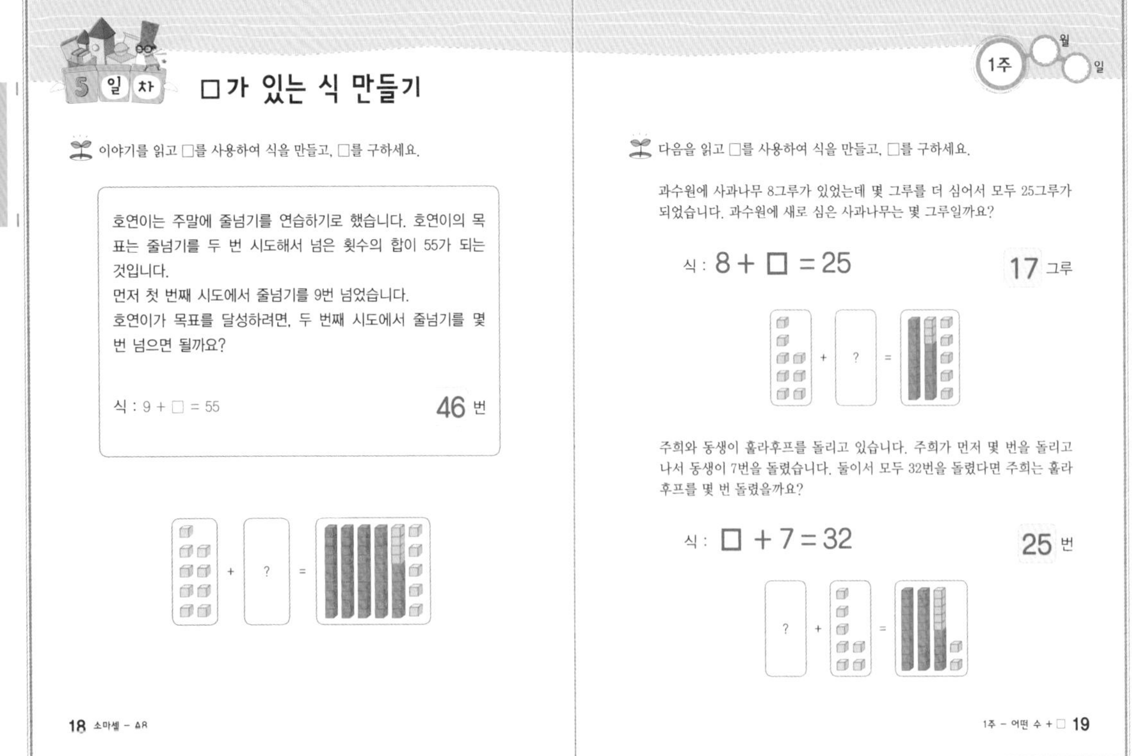

다음을 읽고 □를 사용하여 식을 만들고, □를 구하세요.

공원에 세발자전거를 타는 아이들이 7명 있습니다. 두발자전거와 세발자전거를 모두 세어보니 23대가 있었다면 두발자전거를 타는 아이들은 몇 명일까요?

식 : 7 + □ = 23 　 16 명

학교 운동장에 나무가 8그루 있습니다. 식목일에 나무 몇 그루를 더 심었더니 모두 27그루가 되었습니다. 식목일에 심은 나무는 몇 그루일까요?

식 : 8 + □ = 27 　 19 그루

정아는 동전이 6개 들어있는 저금통에 한 달 동안 저금을 했습니다. 동전을 세어보니 모두 54개가 되었다면 정아가 한 달 동안 저금한 동전은 몇 개일까요?

식 : 6 + □ = 54 　 48 개

다음을 읽고 □를 사용하여 식을 만들고, □를 구하세요.

호진이는 6살입니다. 호진이와 아빠의 나이를 더하여 34살이라면 호진이의 아빠는 몇 살일까요?

식 : 6 + □ = 34 　 28 살

꽃밭에 장미꽃이 꽃을 피웠습니다. 대부분이 빨간색인데 그 중 7송이가 노란색입니다. 꽃밭에 핀 장미꽃이 모두 22송이라면, 빨간 장미꽃은 몇 송이일까요?

식 : 7+ □ = 22 　 15 송이

주희와 엄마가 만두를 만들고 있습니다. 주희가 만두 6개를 만들고 세어보니 모두 24개입니다. 주희가 만두를 6개 만드는 동안 엄마가 만든 만두는 몇 개일까요?

식 : 6 + □ = 24 　 18 개

정답

P 24 ~ 25

1일차 어떤 수 - □

그림을 보고 뺄셈식을 다른 뺄셈식으로 바꾸어 ★이 나타내는 수를 구하세요.

31 - ★ = 6
★ = 31 - 6
= 25

29 - ★ = 6
★ = 29 - 6
= 23

32 - ★ = 3
★ = 32 - 3
= 29

43 - ★ = 6
★ = 43 - 6
= 37

38 - ★ = 8
★ = 38 - 8
= 30

TIP
31-★=6일 때, ★은 31-6과 같음을 그림을 통해 이해하여, 뺄셈식을 다른 뺄셈식으로 바꾸어 해결할 수 있습니다.

뺄셈식을 다른 뺄셈식으로 바꾸어 ★이 나타내는 수를 구하세요.

33 - ★ = 8
★ = 33 - 8
= 25

34 - ★ = 8
★ = 34 - 8
= 26

42 - ★ = 4
★ = 42 - 4
= 38

30 - ★ = 3
★ = 30 - 3
= 27

66 - ★ = 7
★ = 66 - 7
= 59

52 - ★ = 7
★ = 52 - 7
= 45

P 26 ~ 27

뺄셈식을 다른 뺄셈식으로 바꾸어 ★이 나타내는 수를 구하세요.

71 - ★ = 8
★ = 71 - 8
= 63

25 - ★ = 8
★ = 25 - 8
= 17

63 - ★ = 5
★ = 63 - 5
= 58

43 - ★ = 4
★ = 43 - 4
= 39

55 - ★ = 9
★ = 55 - 9
= 46

72 - ★ = 6
★ = 72 - 6
= 66

2일차 수직선과 수 상자

수직선을 보고, □안에 알맞은 수를 써넣으세요.

+23, -17, 0, 6, 23

23 - 17 = 6

38 - 29 = 9

51 - 47 = 4

47 - 38 = 9

55 - 47 = 8

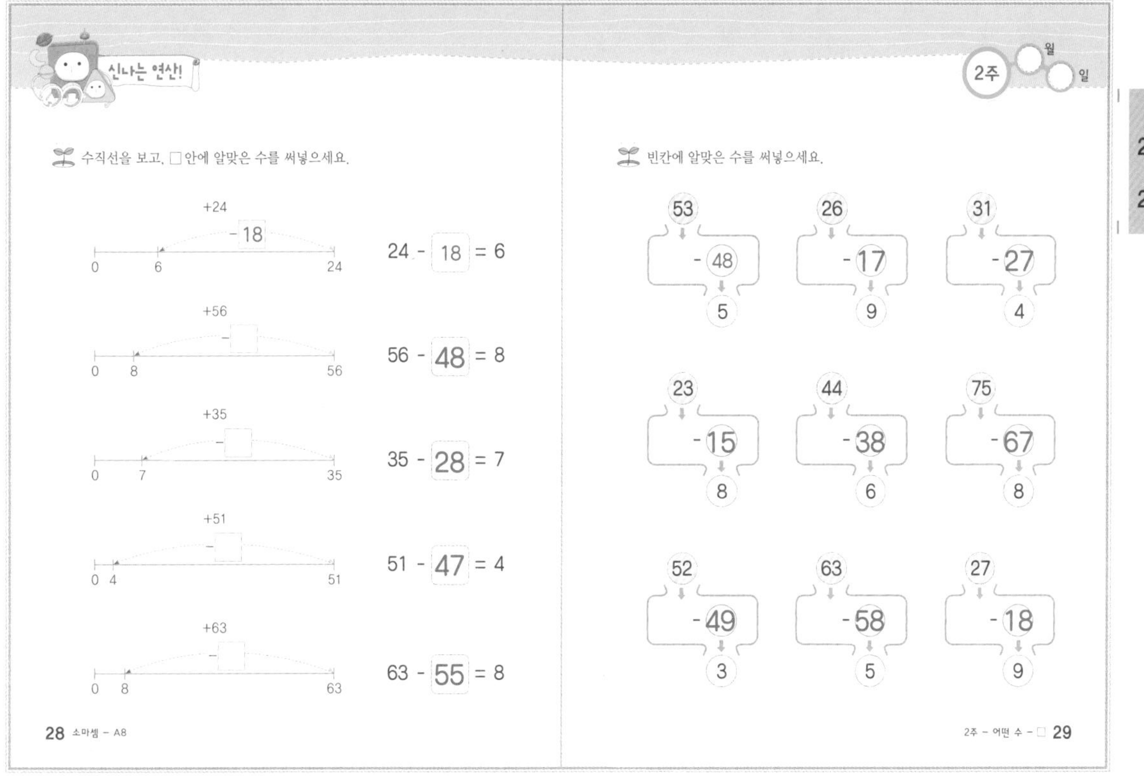
신나는 연산!
2주 월 일
수직선을 보고, □안에 알맞은 수를 써넣으세요.
24 - 18 = 6
56 - 48 = 8
35 - 28 = 7
51 - 47 = 4
63 - 55 = 8
빈칸에 알맞은 수를 써넣으세요.
53 - 48 → 5
26 - 17 → 9
31 - 27 → 4
23 - 15 → 8
44 - 38 → 6
75 - 67 → 8
52 - 49 → 3
63 - 58 → 5
27 - 18 → 9
28 소마셈 - A8
2주 - 어떤 수 - □ 29

P 28 ~ 29

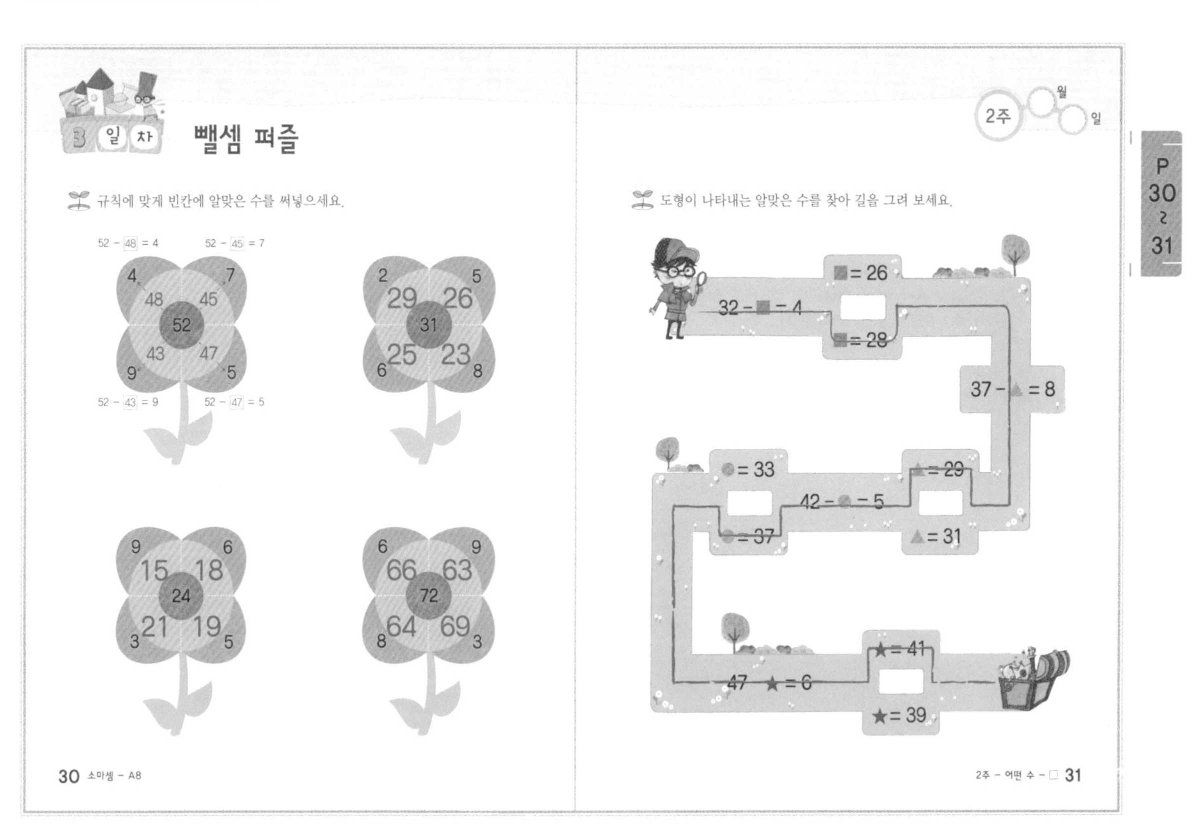
3 일차 뺄셈 퍼즐
2주 월 일
규칙에 맞게 빈칸에 알맞은 수를 써넣으세요.
52 - 48 = 4
52 - 45 = 7
52 - 43 = 9
52 - 47 = 5
도형이 나타내는 알맞은 수를 찾아 길을 그려 보세요.
■ = 26
32 - ■ = 4
■ = 28
37 - ▲ = 8
● = 33
42 - ● = 5
● = 37
▲ = 29
▲ = 31
★ = 41
47 - ★ = 6
★ = 39
30 소마셈 - A8
2주 - 어떤 수 - □ 31

P 30 ~ 31

P 32 ~ 33

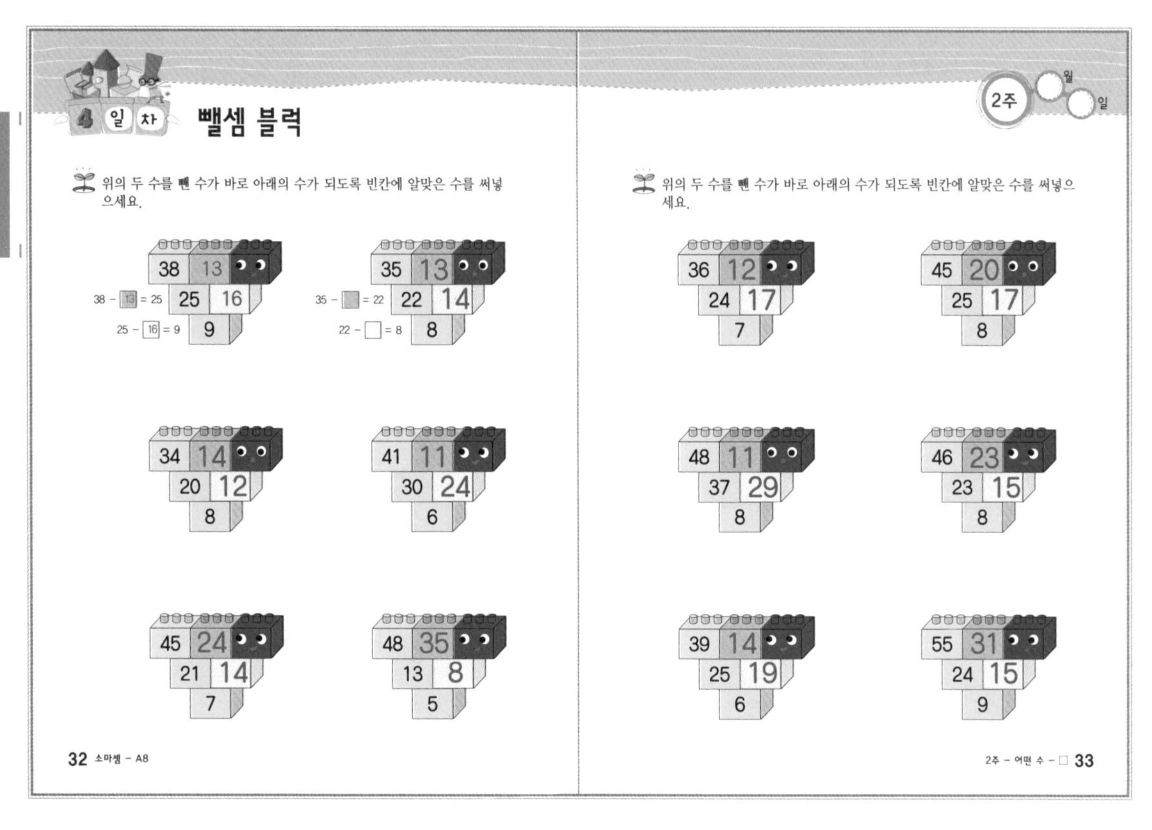

4 일 차 뺄셈 블럭

2주 월 일

위의 두 수를 뺀 수가 바로 아래의 수가 되도록 빈칸에 알맞은 수를 써넣으세요.

38 13
25 16
9

38 - 13 = 25
25 - 16 = 9

35 13
22 14
8

35 - □ = 22
22 - □ = 8

34 14
20 12
8

41 11
30 24
6

45 24
21 14
7

48 35
13 8
5

위의 두 수를 뺀 수가 바로 아래의 수가 되도록 빈칸에 알맞은 수를 써넣으세요.

36 12
24 17
7

45 20
25 17
8

48 11
37 29
8

46 23
23 15
8

39 14
25 19
6

55 31
24 15
9

32 소마셈 - A8

2주 - 어떤 수 - □ 33

P 34 ~ 35

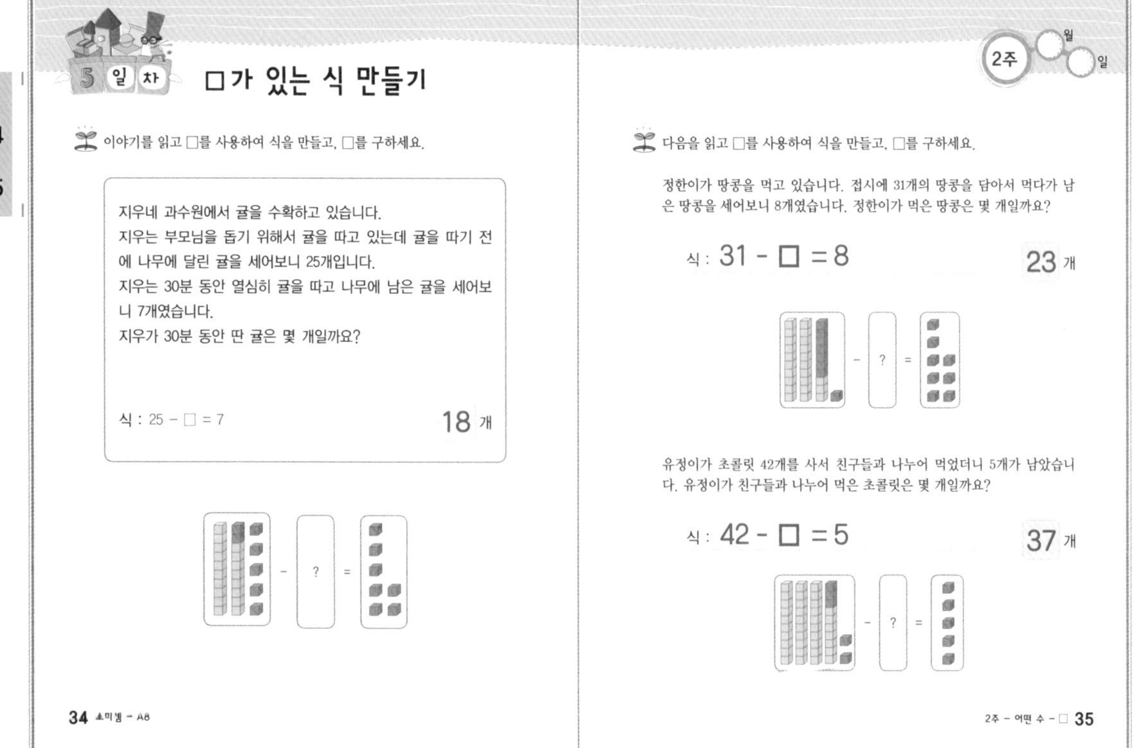

5 일 차 □가 있는 식 만들기

2주 월 일

이야기를 읽고 □를 사용하여 식을 만들고, □를 구하세요.

지우네 과수원에서 귤을 수확하고 있습니다.
지우는 부모님을 돕기 위해서 귤을 따고 있는데 귤을 따기 전에 나무에 달린 귤을 세어보니 25개입니다.
지우는 30분 동안 열심히 귤을 따고 나무에 남은 귤을 세어보니 7개였습니다.
지우가 30분 동안 딴 귤은 몇 개일까요?

식 : 25 - □ = 7 18 개

- ? =

다음을 읽고 □를 사용하여 식을 만들고, □를 구하세요.

정한이가 땅콩을 먹고 있습니다. 접시에 31개의 땅콩을 담아서 먹다가 남은 땅콩을 세어보니 8개였습니다. 정한이가 먹은 땅콩은 몇 개일까요?

식 : 31 - □ = 8 23 개

- ? =

유정이가 초콜릿 42개를 사서 친구들과 나누어 먹었더니 5개가 남았습니다. 유정이가 친구들과 나누어 먹은 초콜릿은 몇 개일까요?

식 : 42 - □ = 5 37 개

- ? =

34 소마셈 - A8

2주 - 어떤 수 - □ 35

다음을 읽고 □를 사용하여 식을 만들고, □를 구하세요.

정수는 오늘 수학 문제를 모두 40개 풀기로 했습니다. 오전에 몇 개를 풀고 오후에 7개를 풀었더니 문제를 모두 해결했습니다. 정수가 오전에 푼 수학 문제는 몇 개일까요?

식 : 40 - □ = 7 　 33 개

훈이네 가족이 밤을 삶아서 먹고 있습니다. 44개의 밤을 삶았는데 한참이 지난 후 보니 밤이 9개만 남았습니다. 훈이네 가족이 먹은 밤은 모두 몇 개일까요?

식 : 44 - □ = 9 　 35 개

지연이는 오빠와 도미노 놀이를 하고 있습니다. 도미노 63개를 세워 놓고 도미노를 넘어뜨렸는데 마지막에 7개의 도미노가 남고 말았습니다. 넘어진 도미노는 몇 개일까요?

식 : 63 - □ = 7 　 56 개

다음을 읽고 □를 사용하여 식을 만들고, □를 구하세요.

민지는 장식용 리본 34개를 가지고 있습니다. 친구들의 선물을 포장하는 데 몇 개를 사용하고 나니 리본 9개가 남았습니다. 민지가 포장에 사용한 리본은 몇 개일까요?

식 : 34 - □ = 9 　 25 개

창수가 로봇을 조립하는 데 나사가 모두 41개 필요합니다. 완성을 앞두고 나사를 세어 보니 5개 남아있다면 지금까지 로봇을 조립하는 데 사용한 나사는 몇 개일까요?

식 : 41 - □ = 5 　 36 개

소정이와 아빠가 낚시를 가서 물고기 25마리를 잡았습니다. 몇 마리는 너무 작아서 놓아주고 7마리만 집으로 가져왔습니다. 소정이가 놓아준 물고기는 몇 마리일까요?

식 : 25 - □ = 7 　 18 마리

P 40 ~ 41

1일차 □ - 어떤 수

그림을 보고 뺄셈식을 덧셈식으로 바꾸어 ★이 나타내는 수를 구하세요.

★ - 23 = 8 → ★ = 8 + 23 = 31

★ - 48 = 3 → ★ = 3 + 48 = 51

★ - 26 = 7 → ★ = 7 + 26 = 33

★ - 6 = 43 → ★ = 43 + 6 = 49

★ - 7 = 25 → ★ = 25 + 7 = 32

TIP
★-23=8일 때, ★은 8보다 23 큰 수와 같음을 그림을 통해 이해하여, 뺄셈식을 덧셈식으로 바꾸어 해결할 수 있습니다.

3주 월 일

뺄셈식을 덧셈식으로 바꾸어 ★이 나타내는 수를 구하세요.

★ - 5 = 47 → ★ = 47 + 5 = 52

★ - 29 = 7 → ★ = 7 + 29 = 36

★ - 6 = 35 → ★ = 35 + 6 = 41

★ - 3 = 58 → ★ = 58 + 3 = 61

★ - 39 = 8 → ★ = 8 + 39 = 47

★ - 42 = 8 → ★ = 8 + 42 = 50

P 42 ~ 43

3주

뺄셈식을 덧셈식으로 바꾸어 ★이 나타내는 수를 구하세요.

★ - 6 = 25 → ★ = 25 + 6 = 31

★ - 4 = 36 → ★ = 36 + 4 = 40

★ - 44 = 8 → ★ = 8 + 44 = 52

★ - 57 = 5 → ★ = 5 + 57 = 62

★ - 65 = 6 → ★ = 6 + 65 = 71

★ - 52 = 8 → ★ = 8 + 52 = 60

2일차 수직선과 수 상자

수직선을 보고, □안에 알맞은 수를 써넣으세요.

+52, −7, 0, 45 → 52 - 7 = 45

+□, −34, 0, 9 → 43 - 34 = 9

+□, −6, 0, 36 → 42 - 6 = 36

+□, −7, 0, 48 → 55 - 7 = 48

+□, −26, 0, 5 → 31 - 26 = 5

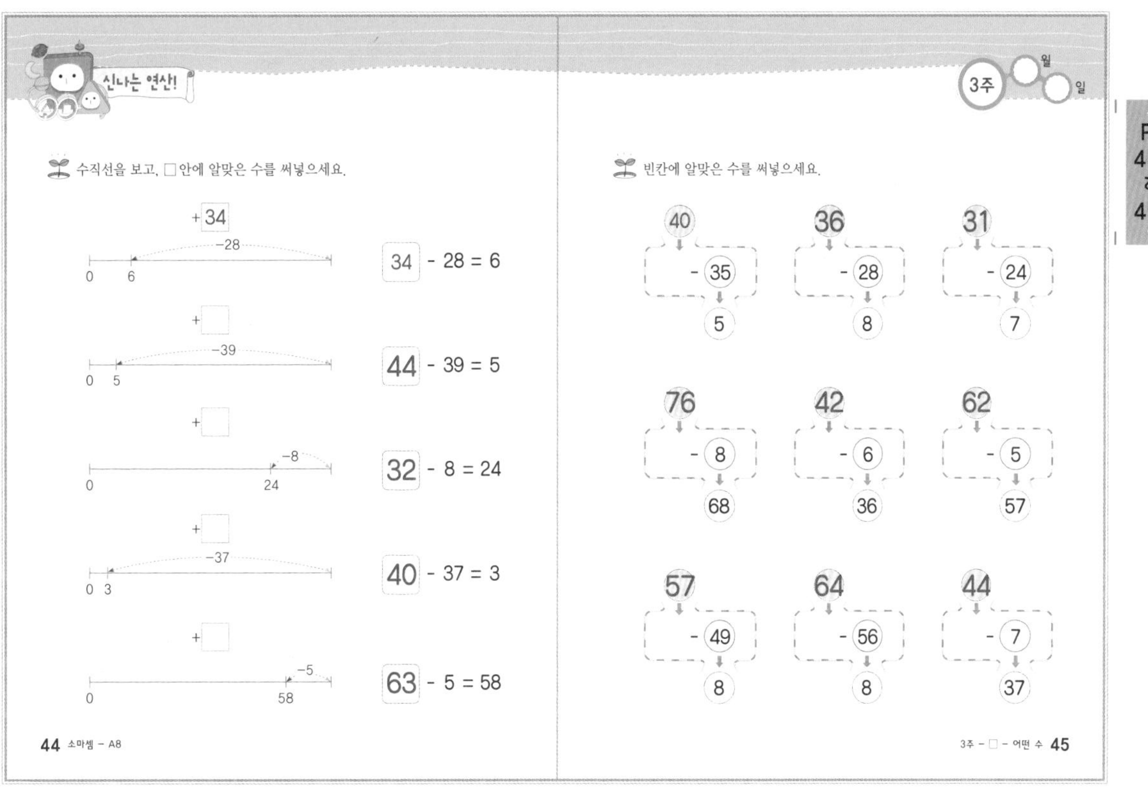
신나는 연산!
수직선을 보고, □안에 알맞은 수를 써넣으세요.
+34
−28
0 6
34 - 28 = 6
−39
0 5
44 - 39 = 5
−8
0 24
32 - 8 = 24
−37
0 3
40 - 37 = 3
−5
0 58
63 - 5 = 58
44 소마셈 - A8
3주
빈칸에 알맞은 수를 써넣으세요.
40 - 35 5
36 - 28 8
31 - 24 7
76 - 8 68
42 - 6 36
62 - 5 57
57 - 49 8
64 - 56 8
44 - 7 37
3주 - □ - 어떤 수 45

P 44 ~ 45

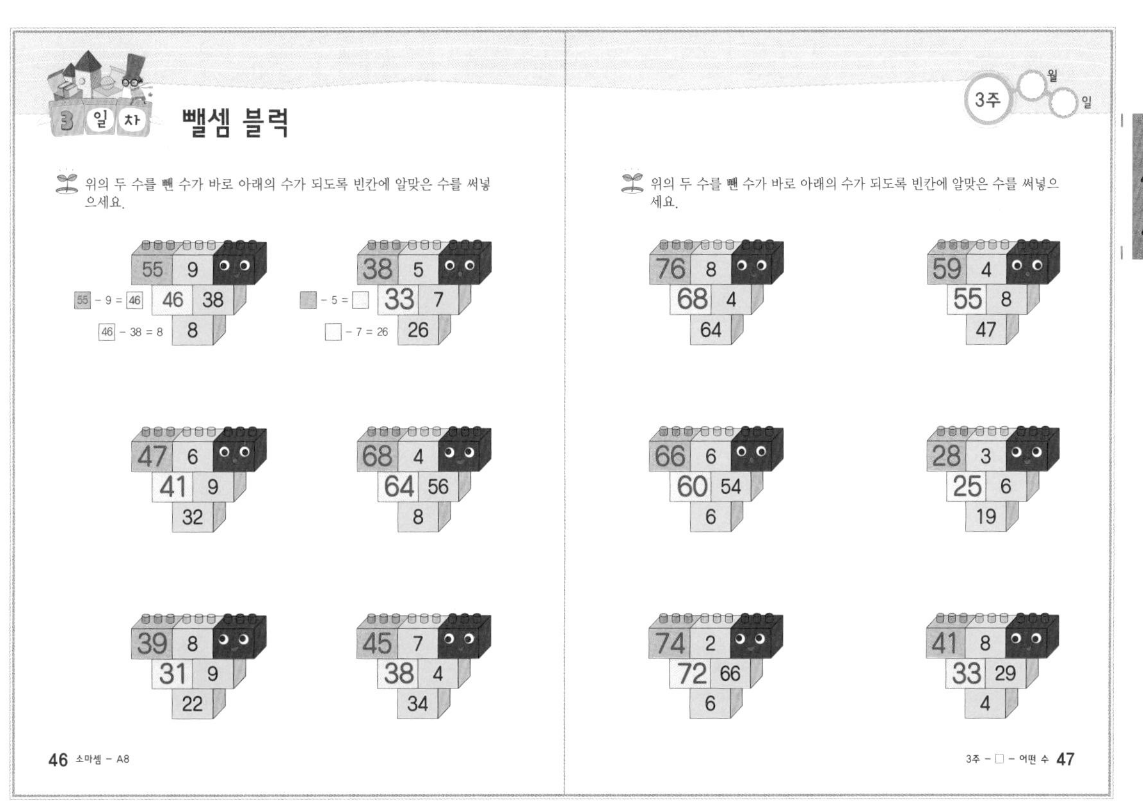
3 일 차 뺄셈 블럭
위의 두 수를 뺀 수가 바로 아래의 수가 되도록 빈칸에 알맞은 수를 써넣으세요.
55 9 46 38 8
55 - 9 = 46
46 - 38 = 8
38 5 33 7 26
- 5 =
- 7 = 26
47 6 41 9 32
68 4 64 56 8
39 8 31 9 22
45 7 38 4 34
46 소마셈 - A8
3주
76 8 68 4 64
59 4 55 8 47
66 6 60 54 6
28 3 25 6 19
74 2 72 66 6
41 8 33 29 4
3주 - □ - 어떤 수 47

P 46 ~ 47

P 48 ~ 49

4 일차 도형이 나타내는 수

식에서 같은 도형은 같은 수를, 다른 도형은 서로 다른 수를 나타냅니다. 식을 보고 도형이 나타내는 알맞은 수를 찾아 □ 안에 써넣으세요.

45 - 39 = 6　4 + ▲ = 11　39 - ▲ = 32
■ = 39　▲ = 7

■ + 5 = 42　5 + ▲ = 40　■ - ▲ = 2
■ = 37　▲ = 35

■ - 23 = 9　6 + ▲ = 42　■ + ▲ = 68
■ = 32　▲ = 36

■ + 6 = 34　▲ - 3 = 20　■ - ▲ = 5
■ = 28　▲ = 23

TIP
어떤 도형이 나타내는 수를 찾았을 때, 그 수를 다른 식에 있는 같은 도형에 써넣어 다른 도형이 나타내는 수를 찾을 수 있습니다.

식에서 같은 도형은 같은 수를, 다른 도형은 서로 다른 수를 나타냅니다. 식을 보고 도형이 나타내는 알맞은 수를 찾아 □ 안에 써넣으세요.

38 + 8 = 46　4 + ★ = 9　38 - ◆ = ★
♥ = 38　★ = 5　◆ = 33

♥ + 3 = 60　★ + 2 = 11　◆ - ★ = ♥
♥ = 57　★ = 9　◆ = 66

♥ - 6 = 73　15 - ★ = 8　♥ - ★ = ◆
♥ = 79　★ = 7　◆ = 72

5 + ♥ = 11　44 - ★ = ♥　◆ - ♥ = ★
♥ = 6　★ = 38　◆ = 44

P 50 ~ 51

5 일차 □가 있는 식 만들기

이야기를 읽고 □를 사용하여 식을 만들고, □를 구하세요.

수정이는 종이학을 접어서 좋아하는 친구에게 선물하기 위해 유리병에 종이학을 모으고 있습니다.
어느 날 동생이 수정이에게 종이학을 달라고 졸라서 그 중 6마리를 동생에게 주었더니 유리병 속에 남은 종이학은 모두 56마리가 되었습니다.
수정이가 친구에게 선물하기 위해 지금까지 접은 종이학은 모두 몇 마리일까요?

식 : □ - 6 = 56　62 마리

3주 월 일

다음을 읽고 □를 사용하여 식을 만들고, □를 구하세요.

정인이가 친구들에게 엽서를 썼습니다. 친구 27명에게 엽서를 나누어 주고 남은 엽서를 세어 보니 5장입니다. 정인이가 쓴 엽서는 모두 몇 장일까요?

식 : □ - 27 = 5　32 장

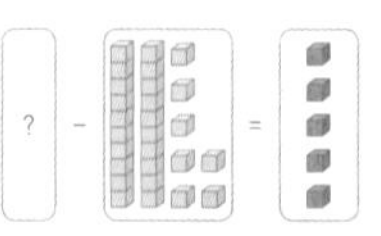

주차장에 차가 가득 차 있었는데 9대의 차가 빠져나가고 나서 34대의 차가 남았습니다. 처음에 주차장에 있던 차는 모두 몇 대일까요?

식 : □ - 9 = 34　43 대

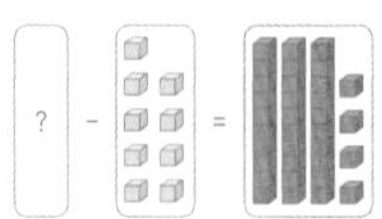

다음을 읽고 □를 사용하여 식을 만들고, □를 구하세요.

주머니에 사탕이 가득 들어있습니다. 동생에게 6개를 주고 나니 17개가 남았습니다. 주머니에 있던 사탕은 모두 몇 개일까요?

식 : □ - 6 = 17　　23 개

접시에 귤이 있습니다. 귤 4개를 까먹고 접시에 남은 귤을 세어 보니 28개입니다. 처음에 접시에 있던 귤은 모두 몇 개일까요?

식 : □ - 4 = 28　　32 개

종호가 오늘 수학 문제를 풀고 채점을 했더니 5개를 틀렸습니다. 종호가 맞은 문제가 47개라면 종호는 오늘 수학 문제를 모두 몇 개 풀었을까요?

식 : □ - 5 = 47　　52 개

다음을 읽고 □를 사용하여 식을 만들고, □를 구하세요.

지선이네 반에서 형제가 없는 사람은 9명이고, 나머지 27명은 모두 형제가 있었습니다. 지선이네 반 학생은 모두 몇 명일까요?

식 : □ - 9 = 27　　36 명

버스 한 대에서 8명의 사람이 내렸더니 버스에 남은 사람이 38명이 되었습니다. 처음에 버스를 타고 있던 사람은 모두 몇 명일까요?

식 : □ - 8 = 38　　46 명

종현이가 동생에게 41개의 구슬을 주고 남은 구슬을 세어 보니 9개였습니다. 종현이가 처음에 가지고 있던 구슬은 모두 몇 개일까요?

식 : □ - 41 = 9　　50 개

P 56 ~ 57

4주 월 일

1일차 목표수 만들기

수 카드 세 장을 모두 사용하여 식을 완성하세요.

7, 37, 9	37 + 7 - 9 = 35
4, 8, 62	62 - 8 + 4 = 58
3, 50, 7	50 + 3 - 7 = 46
5, 26, 6	26 - 5 + 6 = 27
9, 5, 21	21 + 9 - 5 = 25
4, 36, 9	36 + 4 - 9 = 31

수 카드 세 장을 모두 사용하여 식을 완성하세요.

6, 60, 7	60 - 6 + 7 = 61
27, 5, 8	27 - 8 + 5 = 24
9, 45, 3	45 + 9 - 3 = 51
9, 73, 5	73 + 5 - 9 = 69
8, 25, 2	25 - 8 + 2 = 19
6, 8, 73	73 + 6 - 8 = 71

56 소마셈 – A8

4주 – 식 만들기 57

P 58 ~ 59

4주 월 일

2일차 벌레 먹은 셈

빈칸에 알맞은 숫자를 써넣으세요.

38 + 5 = 43	63 + 7 = 70	29 + 6 = 35
26 + 4 = 30	44 + 9 = 53	17 + 5 = 22
63 - 6 = 57	71 - 5 = 66	47 - 7 = 40
88 - 5 = 83	57 - 2 = 55	34 - 6 = 28

빈칸에 알맞은 숫자를 써넣으세요.

58 + 4 = 62	14 + 9 = 23	47 + 7 = 54
26 + 6 = 32	63 + 7 = 70	54 + 7 = 61
36 - 9 = 27	48 - 5 = 43	36 - 8 = 28
84 - 3 = 81	60 - 2 = 58	50 - 4 = 46

58 소마셈 A8

4주 – 식 만들기 59

3일차 덧셈식 만들기

숫자 카드를 한 번씩 사용하여 두 가지 방법으로 덧셈식을 완성하세요.

숫자 카드	덧셈식 1	덧셈식 2
1, 7, 9	79 + 1 = 80	71 + 9 = 80
6, 8, 5	58 + 6 = 64	56 + 8 = 64
3, 5, 9	39 + 5 = 44	35 + 9 = 44
5, 2, 6	56 + 2 = 58	52 + 6 = 58

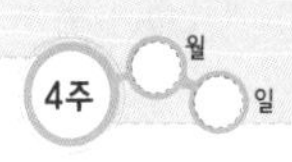

P 60 ~ 61

숫자 카드를 한 번씩 사용하여 두 가지 방법으로 덧셈식을 완성하세요.

숫자 카드	덧셈식 1	덧셈식 2
7, 6, 9	69 + 7 = 76	67 + 9 = 76
7, 5, 6	67 + 5 = 72	65 + 7 = 72
3, 5, 4	54 + 3 = 57	53 + 4 = 57
2, 7, 9	29 + 7 = 36	27 + 9 = 36

4일차 뺄셈식 만들기

숫자 카드를 한 번씩 사용하여 뺄셈식을 완성하세요.

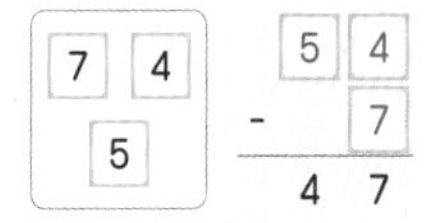
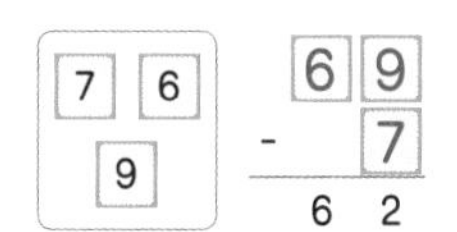

숫자 카드	뺄셈식	숫자 카드	뺄셈식
7, 4, 5	54 - 7 = 47	7, 6, 9	69 - 7 = 62
4, 7, 9	74 - 9 = 65	7, 5, 6	75 - 6 = 69
6, 5, 8	65 - 8 = 57	3, 5, 4	45 - 3 = 42
7, 3, 4	37 - 4 = 33	2, 7, 9	72 - 9 = 63

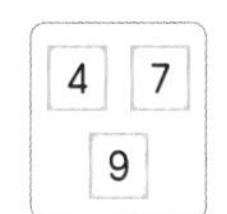
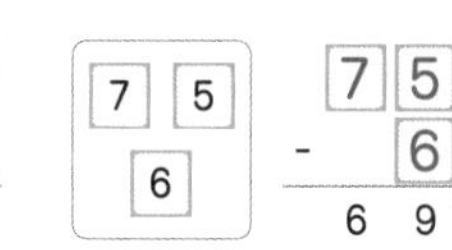
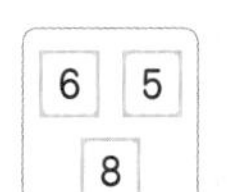
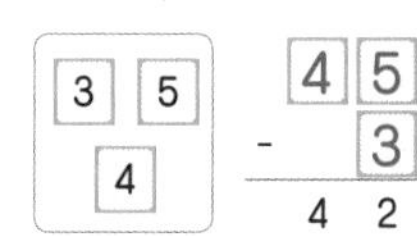
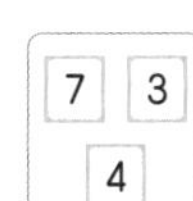

P 62 ~ 63

숫자 카드를 한 번씩 사용하여 뺄셈식을 완성하세요.

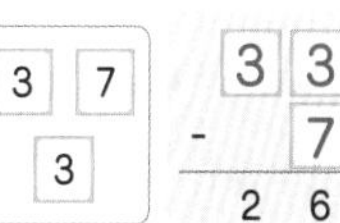

숫자 카드	뺄셈식	숫자 카드	뺄셈식
1, 7, 4	47 - 1 = 46	3, 7, 3	33 - 7 = 26
8, 4, 2	48 - 2 = 46	7, 8, 3	83 - 7 = 76
8, 3, 6	83 - 6 = 77	7, 3, 4	43 - 7 = 36
7, 8, 3	87 - 3 = 84	6, 6, 4	64 - 6 = 58

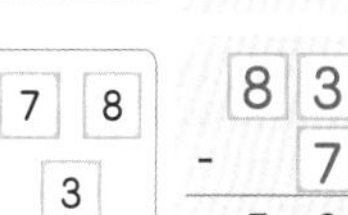

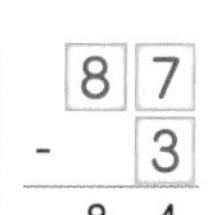

P 64 ~ 65

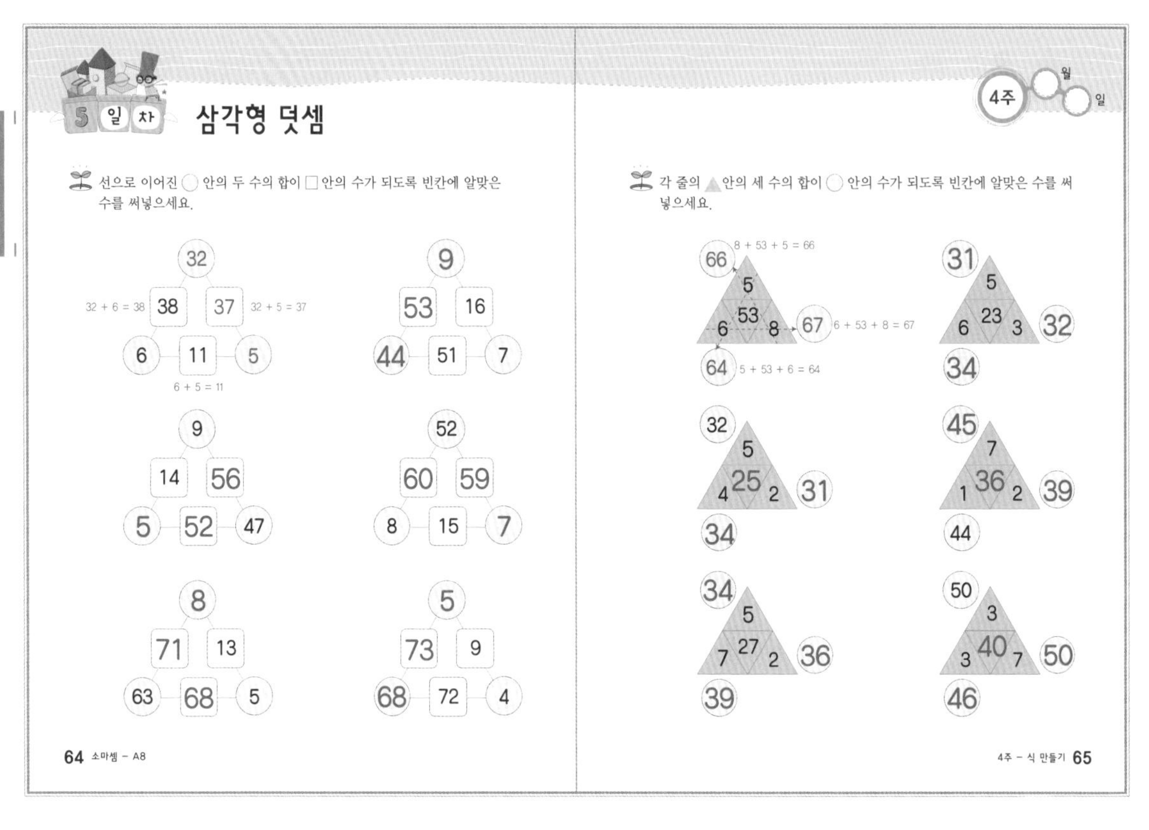

5일차 삼각형 덧셈

선으로 이어진 ◯ 안의 두 수의 합이 □ 안의 수가 되도록 빈칸에 알맞은 수를 써넣으세요.

- 32 / 38, 37 / 6, 11, 5 (32 + 6 = 38, 32 + 5 = 37, 6 + 5 = 11)
- 9 / 53, 16 / 44, 51, 7
- 9 / 14, 56 / 5, 52, 47
- 52 / 60, 59 / 8, 15, 7
- 8 / 71, 13 / 63, 68, 5
- 5 / 73, 9 / 68, 72, 4

64 소마셈 – A8

4주 월 일

각 줄의 ▲ 안의 세 수의 합이 ◯ 안의 수가 되도록 빈칸에 알맞은 수를 써넣으세요.

- 66 / 5, 53, 6, 8 / 67 / 64 (8 + 53 + 5 = 66, 6 + 53 + 8 = 67, 5 + 53 + 6 = 64)
- 31 / 5, 23, 6, 3 / 32 / 34
- 32 / 5, 25, 4, 2 / 31 / 34
- 45 / 7, 36, 1, 2 / 39 / 44
- 34 / 5, 27, 7, 2 / 36 / 39
- 50 / 3, 40, 3, 7 / 50 / 46

4주 – 식 만들기 65

P 68 ~ 69

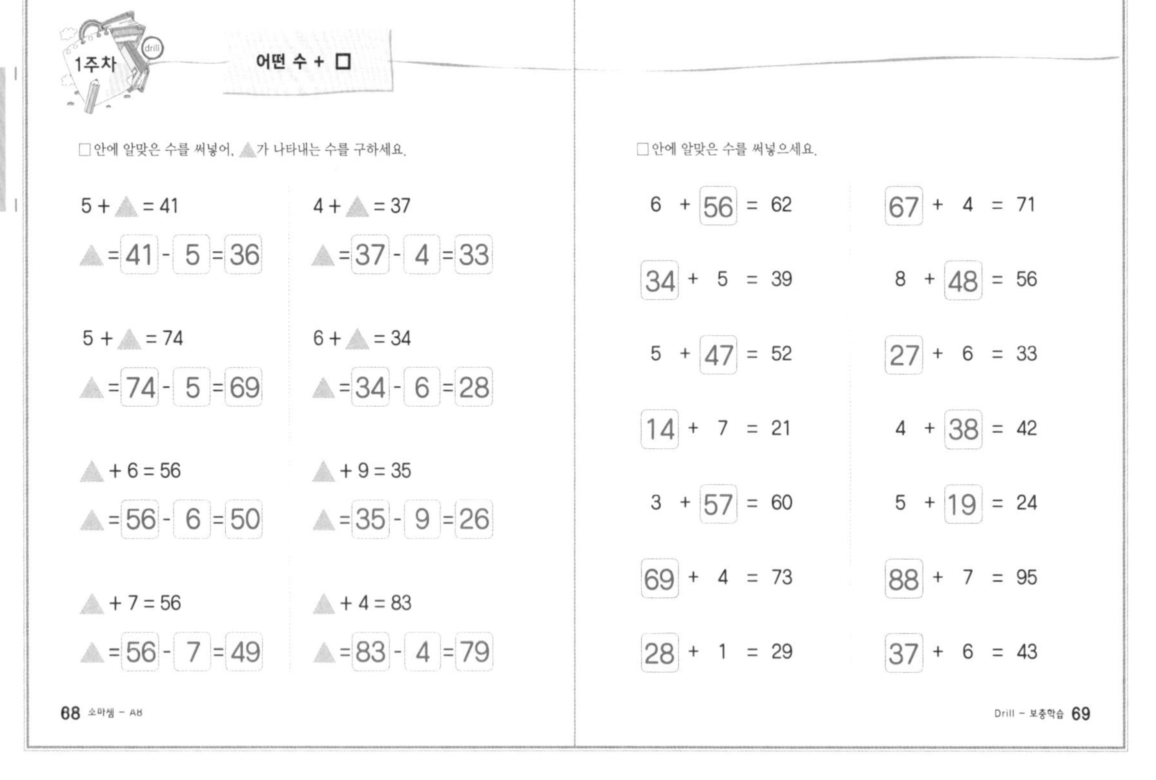

1주차 drill 어떤 수 + □

□ 안에 알맞은 수를 써넣어, ▲가 나타내는 수를 구하세요.

5 + ▲ = 41
▲ = 41 - 5 = 36

4 + ▲ = 37
▲ = 37 - 4 = 33

5 + ▲ = 74
▲ = 74 - 5 = 69

6 + ▲ = 34
▲ = 34 - 6 = 28

▲ + 6 = 56
▲ = 56 - 6 = 50

▲ + 9 = 35
▲ = 35 - 9 = 26

▲ + 7 = 56
▲ = 56 - 7 = 49

▲ + 4 = 83
▲ = 83 - 4 = 79

68 소마셈 – A8

□ 안에 알맞은 수를 써넣으세요.

6 + 56 = 62
34 + 5 = 39
5 + 47 = 52
14 + 7 = 21
3 + 57 = 60
69 + 4 = 73
28 + 1 = 29

67 + 4 = 71
8 + 48 = 56
27 + 6 = 33
4 + 38 = 42
5 + 19 = 24
88 + 7 = 95
37 + 6 = 43

Drill – 보충학습 69

□안에 알맞은 수를 써넣어, ▲가 나타내는 수를 구하세요.

4 + ▲ = 42
▲ = 42 - 4 = 38

9 + ▲ = 27
▲ = 27 - 9 = 18

6 + ▲ = 53
▲ = 53 - 6 = 47

7 + ▲ = 34
▲ = 34 - 7 = 27

▲ + 3 = 50
▲ = 50 - 3 = 47

▲ + 5 = 41
▲ = 41 - 5 = 36

▲ + 4 = 62
▲ = 62 - 4 = 58

▲ + 6 = 73
▲ = 73 - 6 = 67

□안에 알맞은 수를 써넣으세요.

5 + 27 = 32
6 + 19 = 25
36 + 4 = 40
36 + 6 = 42
16 + 6 = 22
48 + 7 = 55
8 + 48 = 56
3 + 58 = 61
29 + 4 = 33
7 + 46 = 53
7 + 42 = 49
37 + 6 = 43
45 + 8 = 53
55 + 6 = 61

어떤 수 – □

□안에 알맞은 수를 써넣어, ▲가 나타내는 수를 구하세요.

37 - ▲ = 3
▲ = 37 - 3 = 34

29 - ▲ = 2
▲ = 29 - 2 = 27

47 - ▲ = 9
▲ = 47 - 9 = 38

53 - ▲ = 4
▲ = 53 - 4 = 49

35 - ▲ = 6
▲ = 35 - 6 = 29

62 - ▲ = 9
▲ = 62 - 9 = 53

81 - ▲ = 3
▲ = 81 - 3 = 78

36 - ▲ = 9
▲ = 36 - 9 = 27

□안에 알맞은 수를 써넣으세요.

22 - 17 = 5
21 - 14 = 7
44 - 37 = 7
66 - 58 = 8
63 - 56 = 7
28 - 19 = 9
35 - 26 = 9
74 - 69 = 5
84 - 76 = 8
34 - 26 = 8
39 - 36 = 3
76 - 69 = 7
51 - 45 = 6
62 - 56 = 6

P 74 ~ 75

□안에 알맞은 수를 써넣어, ▲가 나타내는 수를 구하세요.

30 - ▲ = 5
▲ = 30 - 5 = 25

45 - ▲ = 6
▲ = 45 - 6 = 39

57 - ▲ = 6
▲ = 57 - 6 = 51

40 - ▲ = 7
▲ = 40 - 7 = 33

55 - ▲ = 8
▲ = 55 - 8 = 47

46 - ▲ = 8
▲ = 46 - 8 = 38

87 - ▲ = 9
▲ = 87 - 9 = 78

63 - ▲ = 8
▲ = 63 - 8 = 55

74 소마셈 - A8

□안에 알맞은 수를 써넣으세요.

34 - 28 = 6
36 - 31 = 5
63 - 55 = 8
41 - 33 = 8
52 - 45 = 7
60 - 56 = 4
48 - 39 = 9
33 - 28 = 5
44 - 37 = 7
72 - 63 = 9
82 - 79 = 3
32 - 26 = 6
45 - 39 = 6
54 - 47 = 7

Drill - 보충학습 75

P 76 ~ 77

□- 어떤 수

□안에 알맞은 수를 써넣어, ▲가 나타내는 수를 구하세요.

▲ - 3 = 45
▲ = 45 + 3 = 48

▲ - 5 = 55
▲ = 55 + 5 = 60

▲ - 6 = 66
▲ = 66 + 6 = 72

▲ - 5 = 48
▲ = 48 + 5 = 53

▲ - 3 = 27
▲ = 27 + 3 = 30

▲ - 8 = 33
▲ = 33 + 8 = 41

▲ - 6 = 57
▲ = 57 + 6 = 63

▲ - 8 = 79
▲ = 79 + 8 = 87

76 소마셈 - A8

□안에 알맞은 수를 써넣으세요.

44 - 5 = 39
50 - 7 = 43
34 - 6 = 28
52 - 5 = 47
60 - 6 = 54
33 - 4 = 29
95 - 8 = 87
84 - 7 = 77
37 - 8 = 29
63 - 7 = 56
48 - 3 = 45
75 - 6 = 69
33 - 5 = 28
50 - 4 = 46

Drill - 보충학습 77

P 78 ~ 79

□안에 알맞은 수를 써넣어, ▲가 나타내는 수를 구하세요.

▲ - 5 = 36
▲ = 36 + 5 = 41

▲ - 6 = 44
▲ = 44 + 6 = 50

▲ - 4 = 29
▲ = 29 + 4 = 33

▲ - 5 = 57
▲ = 57 + 5 = 62

▲ - 2 = 39
▲ = 39 + 2 = 41

▲ - 7 = 35
▲ = 35 + 7 = 42

▲ - 6 = 64
▲ = 64 + 6 = 70

▲ - 9 = 53
▲ = 53 + 9 = 62

□안에 알맞은 수를 써넣으세요.

33 - 7 = 26
44 - 9 = 35
61 - 8 = 53
54 - 7 = 47
39 - 5 = 34
41 - 3 = 38
33 - 6 = 27
59 - 2 = 57
56 - 7 = 49
70 - 4 = 66
74 - 6 = 68
74 - 4 = 70
52 - 4 = 48
85 - 5 = 80

식 만들기

P 80 ~ 81

수 카드를 빈칸에 넣어 덧셈식을 완성하세요.

수 카드	덧셈식	덧셈식
4, 8, 5	48 + 5 = 53	45 + 8 = 53
8, 4, 6	68 + 4 = 72	64 + 8 = 72
7, 4, 7	77 + 4 = 81	74 + 7 = 81
4, 2, 9	49 + 2 = 51	42 + 9 = 51

선으로 이어진 ● 안의 두 수의 합이 □안의 수가 되도록 빈칸에 알맞은 수를 써넣으세요.

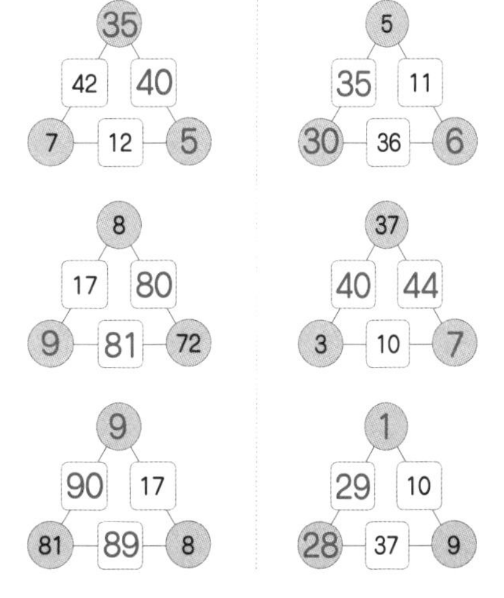

P 82 ~ 83

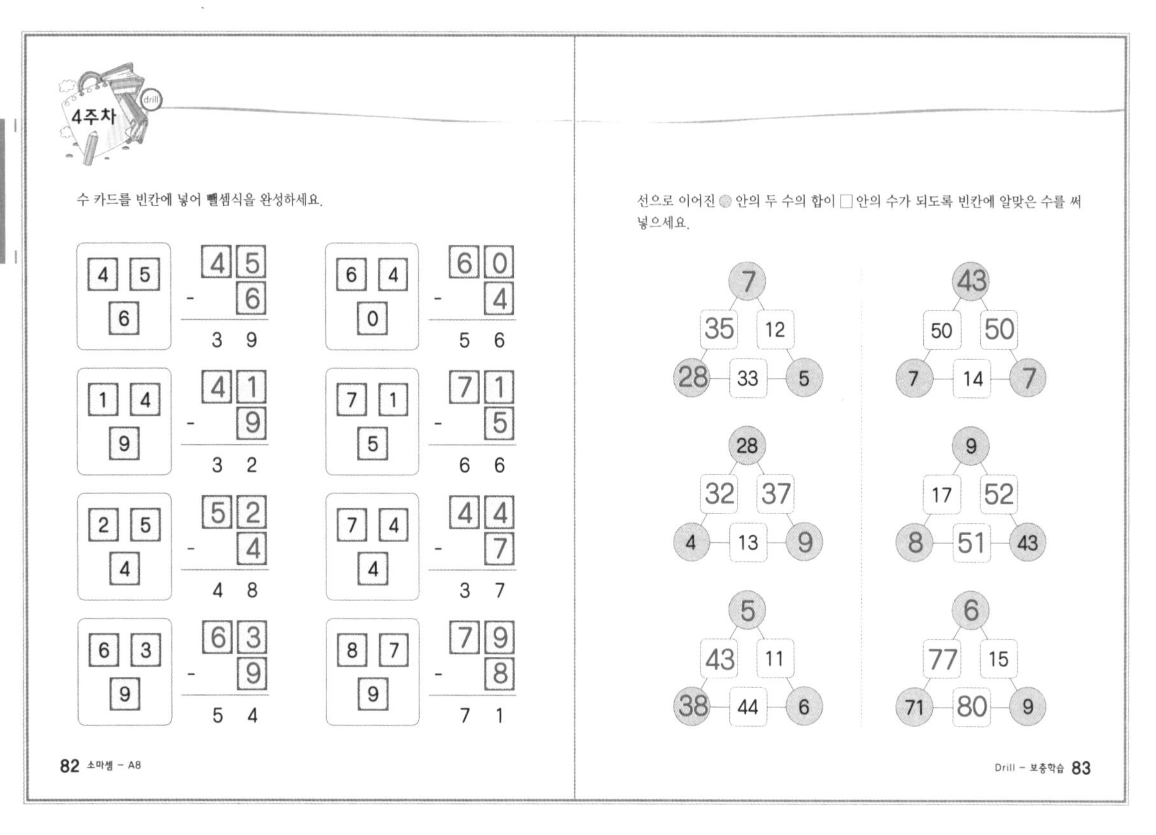
4주차
drill
수 카드를 빈칸에 넣어 뺄셈식을 완성하세요.
4 5 6
45 - 6 = 39
6 4 0
60 - 4 = 56
1 4 9
41 - 9 = 32
7 1 5
71 - 5 = 66
2 5 4
52 - 4 = 48
7 4 4
44 - 7 = 37
6 3 9
63 - 9 = 54
8 7 9
79 - 8 = 71
82 소마셈 - A8
선으로 이어진 ◯ 안의 두 수의 합이 □ 안의 수가 되도록 빈칸에 알맞은 수를 써넣으세요.
7, 35, 12, 28, 33, 5
43, 50, 50, 7, 14, 7
28, 32, 37, 4, 13, 9
9, 17, 52, 8, 51, 43
5, 43, 11, 38, 44, 6
6, 77, 15, 71, 80, 9
Drill - 보충학습 83

Note

Note